Les voyages, [illegible]t
faire autrement que de me
faire penser à toi...

J'ai voyagé à l'aide de
ce livre, réellement; je suis
certaine qu'il te rappellera -
à toi - d'excellents souvenirs,
ce doux plaisir que tu as
à voyager, ces voyages qui
te définissent ♡

Je t'aime!

Hélène xxx

VOYAGE AU MAGHREB
EN L'AN MIL QUATRE CENT DE L'HÉGIRE

DU MÊME AUTEUR

Anna (1967)

Les aventures de Sivis Pacem et de Para Bellum, tome I (1970)

Les grands légumes célestes vous parlent précédé de *Le monstre-mari* (1973)

Souvenir du San Chiquita (1978)

Voyage en Irlande avec un parapluie (1984)

Le pont de Londres (1988)

Les aventures de Sivis Pacem et de Para Bellum, tome II (2001)

Voyage au Portugal avec un Allemand (2002)

Voyage en Inde avec un grand détour (2005)

LOUIS GAUTHIER

Voyage au Maghreb en l'an mil quatre cent de l'Hégire

FIDES

Couverture : © Levesquec / iStockphoto.

L'auteur remercie ses concitoyens dont les taxes et les impôts ont permis au Conseil des arts et des lettres du Québec de lui apporter un appui financier modeste mais apprécié.

Catalogage avant publication de Bibliothèque et Archives nationales du Québec et Bibliothèque et Archives Canada

Gauthier, Louis, 1944-

Voyage au Maghreb en l'an mil quatre cent de l'hégire

ISBN 978-2-7621-3104-8 [édition imprimée]
ISBN 978-2-7621-3310-3 [édition numérique]

I. Titre.

PS8563.A86V693 2011 C843'.54 C2011-940898-8
PS9563.A86V693 2011

Dépôt légal : 2e trimestre 2011
Bibliothèque et Archives nationales du Québec

La maison d'édition reconnaît l'aide financière du Gouvernement du Canada par l'entremise du Fonds du livre du Canada pour ses activités d'édition. La maison d'édition remercie de leur soutien financier le Conseil des Arts du Canada et la Société de développement des entreprises culturelles du Québec (SODEC). La maison d'édition bénéficie du Programme de crédit d'impôt pour l'édition de livres du Gouvernement du Québec, géré par la SODEC.

IMPRIMÉ AU CANADA EN MAI 2011

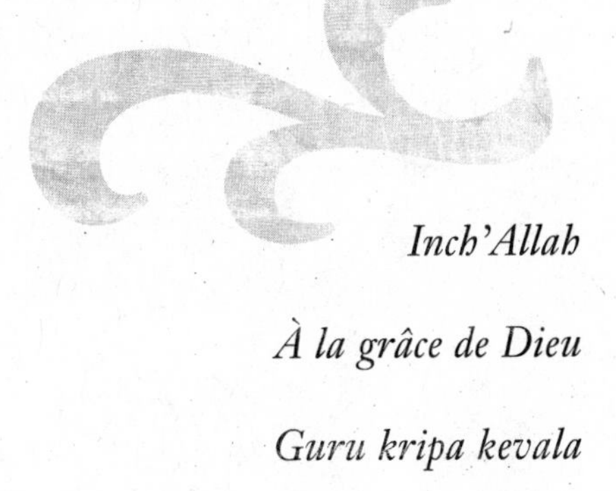

Inch'Allah

À la grâce de Dieu

Guru kripa kevala

I

Je n'avance plus. Je ne sais plus du tout où aller et je me rends bien compte que je suis parfaitement ridicule, et je rirais volontiers de moi si je n'étais aussi malheureux. Ridicule, oui, d'être parti pour l'Inde et de me retrouver trois mois plus tard dans une chambre d'hôtel à Marrakech, à me demander par où je pourrais bien passer pour continuer mon voyage. Mon itinéraire n'a aucun sens. C'est en Turquie que je devrais être rendu, comme me l'a expliqué Michel hier soir. À défaut de prendre le Magic Bus à Londres, j'aurais au moins dû suivre la route qu'il emprunte et mettre le cap sur Istanbul plutôt que d'aller faire ce détour inutile par le Portugal. Ou alors, une fois rendu au bord de la Méditerranée, au lieu de traverser d'Algésiras à Tanger, comme je l'ai fait, il aurait mieux valu que je me rende jusqu'à Marseille et que je prenne un ferry pour Alexandrie. Ça aussi, ça aurait pu marcher. Mais Marrakech…

Je retourne tout ça dans ma tête, toutes ces mauvaises décisions, tous ces mauvais choix. Finalement, c'est à Toulouse que tout s'est joué, et je ne m'en suis même pas rendu compte. À Toulouse où j'ai pris le train en direction de Bayonne, au lieu de celui qui partait vers l'est. C'est là que j'ai choisi la mauvaise voie, que mon avenir a basculé... Là ou avant: en Irlande peut-être, où je n'aurais pas dû traîner si longtemps; ou à Montréal, pourquoi pas, quand j'ai pris l'autocar pour New York; ou plus tôt encore, quand je me suis séparé d'Angèle... Comment savoir? Comment savoir puisque, à chaque instant, nos destinées sont faites de choix mal informés, de décisions prises à l'aveuglette, de hasards sur lesquels nous n'avons aucun contrôle; puisque, à chaque instant, toutes les libertés nous sont offertes, sans que nous ne sachions jamais vers quoi elles nous mènent.

N'empêche, quand je regarde la carte que Michel m'a prêtée, je suis complètement découragé. À partir du Maroc, j'avais vaguement espéré pouvoir traverser le désert et rejoindre la Mauritanie ou le Mali, puis continuer vers la côte est de l'Afrique, mais l'expédition semble réservée à des gens bien mieux préparés que moi et encore, les affrontements avec les rebelles du Front Polisario rendent le voyage peu recommandable. À vrai dire, il ne me reste plus qu'une solution: traverser l'Algérie pour rejoindre la Lybie puis l'Égypte, et voir si je peux prendre un bateau de là vers la côte indienne, ce qui, toujours selon Michel, devrait être possible. Ou alors prendre l'avion, ce que je me refuse à faire depuis mon départ et qui enlèverait tout sens à mon pèlerinage.

Je suis de plus en plus convaincu que je ne me rendrai pas en Inde et j'évite de plus en plus d'en parler, même si je sais au fond de moi que je m'en vais toujours là-bas, que l'Inde ne représente pas un objectif temporel et qu'on peut la trouver partout sur son chemin ; ou, du moins, qu'on peut trouver ce que moi je suis parti chercher et qui n'a pas vraiment de nom, tout à la fois conscience, éveil, bonheur ; trouver ce qui surtout me libérerait pour toujours de l'inquiétude qui jusqu'ici a entaché ma vie.

J'ai rencontré Michel et Maryse hier, au Café de Paris, place Jemaâ el Fna, la place des Morts, le cœur de Marrakech. Je revenais d'une balade dans les souks où je m'étais fait harceler du début à la fin par un soi-disant guide qui tenait, soi-disant par amitié, à me faire connaître sa ville. Je rageais encore à l'idée que ce type avait gâché ma visite en ne me lâchant pas d'une semelle, qu'il avait ensuite osé me réclamer de l'argent pour cela, que j'avais été assez stupide pour lui en donner et qu'il m'avait engueulé parce que ce n'était pas assez.

Je venais à peine de m'asseoir à la terrasse de ce café quand j'entendis quelqu'un m'appeler par mon nom. Il me fallut quelques secondes pour replacer les deux visages qui me souriaient. Maryse et Michel. Je les connaissais à peine ; nous nous étions croisés quelques fois chez des amis à Québec l'année dernière, mais à Québec l'année dernière je buvais beaucoup, je rencontrais beaucoup de gens et mes souvenirs de cette période étaient confus. Eux se rappelaient très bien que j'étais écrivain, que je me préparais à partir en voyage, que je m'en allais en Inde.

Alors, qu'est-ce que je faisais de bon par ici ?

Un homme averti

Après une traversée sans histoire depuis Algésiras, j'avais débarqué au Maroc sous un ciel parfait. Je n'avais pas vraiment de plan et, sur les conseils d'autres voyageurs, j'avais déjà acheté à bord du bateau un billet de train pour Casablanca dans le but d'éviter une halte à Tanger, qu'on disait dangereuse. Jusque-là, tout allait bien, mais je m'attendais malgré tout au pire et je me tenais sur mes gardes. L'avertissement que m'avaient donné mes deux compatriotes *canadians* au moment où je montais à bord du ferry résonnait encore à mes oreilles : « N'y va pas. *Don't go there !* C'est un pays de menteurs, de voleurs et d'escrocs. »

Aussitôt franchies les douanes de la gare maritime, je m'étais retrouvé en pleine cour des miracles, assailli par une nuée de guides, de porteurs, de vendeurs, de mendiants et d'infirmes en tous genres, estropiés, amputés, aveugles, culs-de-jatte ou bossus. Je peinais à me frayer un chemin à travers la foule bruyante, embarrassé par mon sac à bandoulière qui formait à mon côté une protubérance encombrante et auquel tous ceux qui voulaient absolument le porter à ma place tentaient de s'accrocher. Pour leur échapper, je réussis à m'introduire au milieu d'un groupe d'Allemands costauds qui me servirent de gardes du corps et avec qui je passai finalement sans encombre de la gare maritime à la gare ferroviaire voisine. Le train pour Casablanca était là et je montai sans attendre à bord du premier wagon où j'aperçus un compartiment libre.

Je déposai mon sac dans le filet à bagages et je m'installai près de la fenêtre pour reprendre mon souffle et mes esprits. Je n'avais jamais vu pareille misère humaine. Heureusement le wagon s'emplit peu à peu. Deux jeunes filles vinrent s'asseoir en face de moi, plutôt jolies dans leur uniforme de collège. Elles me dirent qu'elles étudiaient pour devenir secrétaires puis se mirent à parler entre elles, passant du français à l'arabe dans un charabia où les deux langues s'enchaînaient parfois à l'intérieur d'une même phrase, et la conversation n'alla pas beaucoup plus loin. Ensuite des garçons en grand nombre envahirent le train, s'échangeant les places libres et obstruant le couloir. C'était la fin d'un congé scolaire et tout le monde regagnait Casablanca. Un type au teint basané passa le nez à l'intérieur du compartiment et me proposa en riant : « Alors, mon frère, combien de kilos ? » L'atmosphère était bon enfant, pleine de cris, de rires et de bousculades.

Le train se mit en marche, par la fenêtre le Maroc se mit à défiler, tout vert, avec un grand ciel bleu étendu au-dessus, et je fus propulsé dans un autre monde. Un rêve éveillé, un émerveillement. J'avais l'impression de voyager dans le temps autant que dans l'espace, d'avoir sauté dans une autre époque, de me retrouver à des siècles de chez moi, quelque part dans l'univers de la Bible ou des *Mille et une nuits*. Tout était neuf, tout me paraissait émouvant, magique, les costumes, toutes ces couleurs, lilas, rose, vert, or, orange, les femmes voilées, les hommes portant des turbans et tous ces animaux qui allaient et venaient, ânes, chèvres, moutons, et quelques chameaux qui, avec leur bosse unique, étaient en réalité des dromadaires. Je m'emplissais les yeux comme on se saoule. J'oubliais la peur et toutes les mises en garde qu'on m'avait faites. J'avais hâte de descendre du train pour me plonger dans cette masse vivante et colorée. J'étais enfin ailleurs.

Le voyage fut plutôt joyeux, les étudiants occupaient tout le wagon, s'interpellaient d'un bout à l'autre, se répondaient en chantant ou en scandant des slogans. Tout cela m'avait paru amical et rassurant, et je fus surpris quand, à la fin du voyage, une des deux futures secrétaires me prit à part dans le couloir et m'expliqua que j'avais été bien imprudent de laisser mes bagages sans surveillance (je m'étais levé deux ou trois fois pour aller fumer et me dégourdir les jambes).

— Sans surveillance, pas vraiment, lui répondis-je. Quand même, vous étiez là, vous et votre amie.

— Qu'est-ce que nous aurions pu faire ?

— Je ne sais pas, vous étiez là, vous...

— Vous ne comprenez pas. Croyez-moi, soyez plus prudent. Vous voulez vraiment savoir ? Ils ne se sont pas gênés pour fouiller vos bagages pendant que vous étiez sorti.

Sa révélation me troubla. Je ne sus quoi répondre.

— Ils n'ont rien pris, c'était pour s'amuser. Mais suivez mon conseil. Ici, vous ne devez faire confiance à personne.

Pouvais-je lui faire confiance ?

Casablanca

J'arrivai à Casablanca à la nuit tombante, soulagé de ne pas être déjà mort, de n'avoir été ni attaqué ni dévalisé, tout juste harcelé par un énergumène qui voulait savoir d'où je venais, où j'allais, si j'étais marié, pourquoi j'étais seul, et qui me suivit quelque temps en me faisant toutes sortes de propositions. Je finis par me réfugier à l'hôtel Colbert, sans doute un des plus minables de la ville. Un lit crasseux, pas de meubles, une ampoule nue au plafond. La porte de la chambre était si délabrée qu'elle tenait à peine fermée. Tant pis. Je déposai mon sac, content d'en être enfin débarrassé, je refermai du mieux que je pus et j'allais sortir manger quelque chose lorsque l'homme qui m'avait accueilli à la réception m'interpella au passage.

— Vous n'avez pas vos bagages ?

Je ne comprenais pas ce qu'il voulait dire, je venais d'arriver, je n'allais pas repartir aussitôt. Il m'expliqua qu'il était interdit de laisser ses bagages dans la chambre. Il y avait eu trop de vols et l'hôtel, qui ne voulait pas en être tenu responsable, avait trouvé cette façon radicale d'y mettre fin. Je retournai chercher mes affaires et partis manger avec tout mon bien sur l'épaule, songeant à cette misère ridicule de ne posséder presque rien et de devoir le protéger comme un trésor.

Cette nuit-là, j'eus beaucoup de mal à m'endormir. Les yeux grands ouverts dans le noir, j'essayais de combattre le sourd sentiment d'inquiétude qui était revenu me hanter avec l'obscurité — et sans doute cette anxiété sournoise avait-elle accompagné toute ma journée. Inquiétude, anxiété. Je n'aimais pas ma vie. Je vivais sans plaisir et j'étais pourtant un homme de plaisir, c'est ce que m'avait dit une voyante qu'Angèle m'avait amené voir un jour. J'aurais préféré qu'elle me prédise un destin plus grandiose, mais je n'étais qu'un pauvre type bien ordinaire qui ne pensait qu'à s'amuser.

À toi, elle avait prédit toutes sortes de choses que tu n'avais pas voulu me répéter. Des choses graves, importantes. Je n'avais pas posé de questions. Je savais bien que c'était inutile. Pourquoi m'aurais-tu caché une bonne nouvelle ? Il ne pouvait s'agir que d'un malheur, un grand malheur, et quel plus grand malheur pouvait-il y avoir que de te perdre ?

◈

Le lendemain, je quittai l'hôtel avec mon sac encombrant sur l'épaule et je me mis à la recherche d'un restaurant. J'avais faim, je m'étais levé tard, il devait maintenant être tout près de midi. Je marchai longtemps dans les rues du quartier, abordé toutes les cinq minutes par quelqu'un qui voulait m'aider, me guider et devenir mon ami, mais qui, aussitôt que je refusais sa proposition, me regardait avec des yeux remplis d'animosité. J'essayais de ne pas trop m'en faire, de ne pas me sentir trop coupable, mais je ne pouvais m'empêcher de penser qu'après tout j'étais dans leur pays, qu'ils étaient pauvres, qu'ils me croyaient riche et que je n'aurais sans doute pas agi autrement à leur place. Comment leur expliquer qui j'étais ? Comment leur expliquer que je ne ressemblais en rien à tous ces chrétiens qui les avaient envahis autrefois, à tous ces touristes qui les avaient remplacés aujourd'hui ?

J'entrai dans un petit restaurant qui ne payait pas de mine, grande pièce au plafond bas où il n'y avait que des hommes. Je m'assis à une table commune. Personne ne parlait. Il n'y avait pas de menu ; je pris ce qu'on me donnait, un bol de soupe où flottaient quelques débris de viande accrochés à des os. Je me rendis compte trop tard que je n'étais pas à ma place, que j'étais tombé sur une sorte de soupe populaire. Le bouillon clair me tombait sur le cœur, c'était mon premier repas de la journée, mais je me forçai à finir mon assiette pour ne pas insulter ces pauvres gens qui n'avaient rien d'autre à manger. Sous les regards sombres, je vidai mon bol, repris mon sac et sortis. Je n'avais jamais vu d'endroit aussi misérable et cela acheva de me convaincre de quitter la ville au plus tôt. Je repris le chemin de la gare en marchant à grands pas d'un air décidé. J'avais compris que la moindre hésitation, le moindre ralentissement faisait de vous une cible pour tout ce que le quartier comptait de mendiants et d'escrocs. Heureusement, il faisait jour, c'était moins pire que la nuit. Arrivé à la gare, je pris sans hésiter le premier train en partance pour Marrakech.

Marrakech

À Marrakech, le même cirque recommença : mendiants, miséreux, malades, hommes sans jambes, sans bras, sans yeux, sans regard, à peine humains, toute la détresse imaginable me sauta en plein visage, comme un fait brutal et irréductible. Sans même penser à déposer mon bagage à la consigne, je me dépêchai vers la sortie. Dehors, je me retrouvai dans une grande avenue poussiéreuse, au milieu d'une foule grouillante, parmi les ânes surchargés, les charrettes, les mobylettes, les autobus, dans un nuage de diesel bleu. Il faisait chaud, je marchai un peu, me fiant à mon instinct pour trouver le cœur de la ville. Bientôt égaré, je m'informai auprès d'un passant qui m'expliqua que la médina était dans la direction opposée, à quatre ou cinq kilomètres de là.

Je n'avais pas envie de parcourir toute cette distance à pied et j'essayai de faire du stop, sans succès. Dans le flot chaotique de la circulation, je finis par apercevoir un taxi libre et je fis signe au chauffeur. Au même moment, un vieux Marocain en djellaba surgit à côté de moi et me devança. Je me préparais à lui céder la place mais il s'empara de mon sac en insistant pour le placer lui-même dans le coffre arrière. Je le surveillais du coin de l'œil, craignant qu'il ne se sauve avec, tout en préparant quelques pièces de monnaie dans ma poche. Il referma le coffre, refusa mon pourboire et s'installa sur le siège avant en compagnie du conducteur. Je ne comprenais rien à son manège, peut-être voulait-il que nous partagions la course, et je demandai au chauffeur de m'amener jusque dans la médina. Le vieil homme ajouta je ne sais quoi en arabe et le chauffeur, l'air mécontent, se mit à discuter avec lui pendant que nous roulions sur une avenue encombrée. Quelques minutes plus tard, les murailles roses de la ville apparurent avec, derrière, les sommets enneigés de l'Atlas, et tout devint à nouveau magique. Le taxi pénétra à l'intérieur des murs par une haute porte bordée de palmiers, puis s'avança prudemment dans une suite de rues étroites, à peine plus larges que la voiture et envahies de piétons et d'animaux parmi lesquels nous avancions au pas. Il finit par s'arrêter devant un petit hôtel. Mon compagnon de voyage s'empressa d'ouvrir le coffre et de me remettre mon sac, puis de tendre la main. Pour avoir la paix, je lui donnai un dirham. Il était offusqué. Un dirham, ce n'était pas assez. Il m'avait aidé à trouver un taxi, il avait porté mes bagages, il avait discuté avec le chauffeur pour s'assurer que j'aurais un bon hôtel. Je lui répondis que j'étais bien capable de prendre un taxi tout seul, que je n'avais pas besoin d'aide pour porter mon sac et que je ne lui avais rien demandé. La main sur le cœur, il répliqua que tous les hommes étaient frères et devaient s'entraider. Il m'avait donné un coup de main comme il avait pu, à la mesure de ses moyens, et maintenant c'était à moi de voir comment je pouvais l'aider. Je m'obstinai encore un peu, juste pour mesurer l'étendue de sa mauvaise foi. Il affirma solennellement qu'il avait fait tout ce trajet simplement pour me rendre service et faciliter mon arrivée à Marrakech. Maintenant, il allait devoir rentrer chez lui à pied, tout ça pour un pauvre dirham. Il me demanda combien j'avais donné au chauffeur. Cinq dirhams ? Il voulait lui aussi cinq dirhams. Il avait fait le même trajet et en plus il avait porté mes bagages.

Je ne voulais pas rester là plus longtemps à discuter, le taxi était reparti, la foule circulait tout autour de nous et nous bloquions le trottoir. Je lui dis qu'il avait eu plus qu'il ne méritait et j'entrai à l'hôtel. Pas de chance, l'hôtel était complet. On m'en suggéra un autre. Je repris mon sac et sortis. Mon bon samaritain était toujours là. Aussitôt qu'il m'aperçut, il se mit à me suivre en me harcelant pour avoir ses cinq dirhams. Je ne savais plus trop quoi penser, si j'avais affaire à un fou ou si les choses se passaient toujours comme ça dans ce pays. Heureusement il y avait beaucoup de monde dans les rues et l'hôtel qu'on m'avait indiqué n'était pas très loin. En y entrant, je jetai un coup d'œil derrière moi ; il restait là, sur le trottoir, il n'avait pas l'air pressé de rentrer chez lui. Je m'installai dans ma chambre, n'osant plus sortir pour visiter la ville de peur qu'il ne m'attende encore. Je me méfiais. C'est ce qu'on m'avait conseillé de faire.

Au petit matin, je me réveillai avec le souvenir d'un rêve désagréable où quelqu'un me disait d'un ton cassant que je n'avais rien à faire là, que je n'étais pas heureux en voyage, que j'aurais mieux fait de rester chez moi. Dans mon rêve, je répondais que c'était justement pour ça que je voyageais, pour ne pas être bien. Pour échapper à la facilité. Voir comment ça résistait, la théorie, quand on la mettait à l'épreuve. Voir comment elle se débrouillait, toute seule, la conscience, quand elle perdait ses points de repère, quand personne ne lui disait ce qu'il fallait faire, ce qu'il fallait penser, quand elle se promenait en liberté loin de sa tribu, de son troupeau.

Plaisir des yeux

Pour déjeuner, j'allai m'asseoir à la terrasse du Café de Paris, place Jemaâ el Fna. Il ne faisait pas très chaud mais le soleil était bon. Sur la table, *Le Matin du Sahara* que je venais d'acheter au kiosque à journaux était daté du 14 Rabi'ou Al-Awwal 1400. L'an mil quatre cent : je n'étais pas surpris, j'avais l'impression depuis mon arrivée d'avoir été téléporté au Moyen Âge.

La place grouillait de vie et je n'avais pas assez d'yeux pour tout voir. Malgré l'heure matinale, des centaines de personnes allaient et venaient en tous sens, marchandaient, discutaient, formaient des cercles autour des danseurs, des conteurs, des charmeurs de serpents, des vendeurs d'eau, des marchands ambulants. Les musiciens s'installaient par petits groupes, les tambours et les tamtams se mettaient à résonner un peu partout et la journée commençait, rythmée par cette cadence obsédante qui envahissait tout l'espace et qui constituait le pouls même de la ville. Je remis la lecture du journal à plus tard et, mon café terminé, je me joignis à la foule. Me laissant emporter par le flot des passants, je me retrouvai bientôt à l'intérieur du souk.

« Plaisir des yeux, mon ami, plaisir des yeux. » Je n'avais pas fait vingt pas qu'un jeune homme m'abordait. Il avait vu que j'étais seul et que j'avais l'air de chercher quelque chose et, pour me rendre service, il me proposait de m'accompagner. Cela m'éviterait de me perdre et il pourrait me faire voir les coins les plus intéressants. Quoi dire à quelqu'un qui vous aborde aussi gentiment ? « Merci, bien aimable, je préfère me débrouiller seul, découvrir par moi-même, je ne veux rien acheter, seulement regarder. » Pas si simple. Ahmed en avait vu d'autres. Bien sûr, il s'était tout de suite aperçu que je n'étais pas riche, que je n'étais pas un touriste ordinaire ; c'est pour cela qu'il ne m'avait pas parlé d'argent, ce n'était pas une question d'argent, il voulait seulement me faire connaître son pays et apprendre à me connaître par la même occasion. Il me demanda depuis quand j'étais arrivé à Marrakech, à quel hôtel j'étais descendu, si j'aimais le Maroc, de quel pays je venais — bien sûr il connaissait le Québec, Montréal, le général de Gaulle, *tabarnak !* il avait des amis québécois, il leur avait fait visiter le souk, ils avaient été très contents de ses services, très gentils aussi, il serait heureux de faire la même chose pour moi, il était guide officiel, malheureusement il n'avait pas sa carte avec lui aujourd'hui mais de toute façon il ne me demandait pas d'argent, il ne me proposait pas ses services comme guide, il voulait simplement m'accompagner à titre amical.

— Tu me donneras ce que tu veux, rien si tu veux, insistait-il.

Je répétai gentiment que je préférais être seul et le prévins que je n'étais pas riche et que, en effet, je ne lui donnerais pas un sou. On m'avait mis en garde contre ce genre de harcèlement et j'étais bien décidé à ne pas me laisser avoir. Je continuai à avancer au hasard dans les ruelles achalandées en l'ignorant de mon mieux. Il n'abandonna pas aussi facilement la partie.

— Rester seul, ce n'est pas prudent, mon frère, tu risques de te perdre, le souk est très grand.

J'eus beau lui dire que j'aimais bien me perdre, que je finirais par me retrouver, il ne me lâchait pas, me suivait pas à pas, comme si ce semblant de conversation, cette amorce de négociation avait créé un lien entre nous, faisait de nous presque des amis. Il me donnait au passage des explications tout à fait superficielles sur le tissage de la laine ou le martelage du cuivre, rien que je n'avais déjà lu dans les dépliants touristiques. En réalité, il m'embarrassait plus qu'autre chose. Je ne pouvais m'arrêter tranquillement nulle part sans qu'il vienne me faire ses commentaires et dès que je semblais m'intéresser à un objet il essayait de m'entraîner vers une autre boutique où il prétendait que j'obtiendrais un meilleur prix mais où, de toute évidence, c'était surtout lui qui obtiendrait une meilleure commission. J'ignorais ouvertement ses recommandations, j'évitais les quartiers où il voulait m'entraîner, je m'enfonçais dans des ruelles à l'écart des circuits habituels vers lesquels il essayait toujours de me ramener. J'espérais qu'il comprenne que je n'étais pas un acheteur très coopératif et qu'il ne tirerait pas grand-chose de moi. Pendant une trentaine de minutes je m'employai à le fatiguer en le traînant à gauche et à droite dans des endroits où il ne voulait pas aller. Au bout de tout ce temps, il décida que nous étions devenus de véritables amis et il finit par accepter, au nom de cette toute nouvelle amitié, de me laisser continuer seul ma promenade, car il ne voulait que mon bonheur. Plein d'attentions pour moi, il me rappela que le souk était très étendu, me suggéra un itinéraire de retour et m'assura qu'il avait été très content de pouvoir m'aider. Je n'avais qu'à lui faire signe si j'avais besoin de lui à nouveau. Puis, toujours souriant, il tendit la main. Incapable d'en supporter davantage, je lui donnai deux dirhams pour qu'il s'en aille. Évidemment ce n'était pas suffisant. Il me lança un regard malveillant et me dit je ne sais quoi en arabe. Je n'avais pas envie de discuter, encore moins de me battre avec lui. Je lui tournai le dos et partis droit devant moi d'un pas décidé sans savoir où je m'en allais. Je rageais encore quand je réussis à sortir du dédale des petites ruelles et à retrouver la place Jemaâ El Fna et le Café de Paris où je tombai à ma grande surprise sur Michel et Maryse.

Soirée québécoise

Eux ? Ils étaient au Maroc depuis deux semaines à peine, tout frais débarqués du Québec et de l'hiver, beaux tous les deux et déjà plus bronzés que moi. Ils se préparaient à visiter je ne sais quel palais et m'invitèrent à me joindre à eux, mais j'avais assez marché pour la journée et je convins de les retrouver pour le souper. Je les rejoignis ce soir-là dans un petit restaurant au plafond bas, avec des banquettes le long des murs, des tables basses et des coussins par terre. Deux autres Québécois étaient déjà avec eux, Roch, un colosse roux, très extraverti, très à l'aise, aussitôt ami avec le serveur, avec le patron, avec tout le monde, et Lili, sa copine, toute menue et un brin moqueuse. Maryse et Michel nous donnèrent les dernières nouvelles du pays. On parlait beaucoup du prochain référendum, qui aurait lieu au mois de mai et qui permettrait enfin au Québec de devenir un pays. Il soufflait partout un vent d'enthousiasme et d'excitation. Au hockey, les Canadiens de Montréal étaient en première position et l'hiver n'avait jamais été aussi doux; nous étions en février et il n'y avait déjà presque plus de neige dans les rues.

Le souper fut animé. Depuis trois mois que j'étais en route, c'était la première fois que je parlais ma langue, la première fois que je me retrouvais vraiment dans ma famille, avec les miens. J'avais oublié tout ce que cela voulait dire, parler sa langue. Ça faisait longtemps que ça ne m'était arrivé, de pouvoir utiliser tout mon vocabulaire, de pouvoir mentionner la Manic ou René Lévesque sans avoir à tout expliquer. C'était bizarre, ce sentiment. Ma langue, ce n'était pas seulement des mots, c'était la langue de ma tribu et le signe que j'en faisais partie. C'était toute ma culture, toute mon histoire. Nous étions des produits culturels, nous étions *made in Quebec*. C'était bouleversant, d'une certaine façon, parler comme si ça allait de soi. Pas besoin de traduire ni de mettre en contexte, pas besoin d'explications, pas besoin de chercher des synonymes, de changer son accent, de faire des nuances, de trouver des détours, tout le monde comprenait tout ce que tout le monde disait. Ça me faisait du bien, ça me reposait de me replonger dans l'atmosphère qui m'était naturelle, de retrouver mes racines. Nous parlions entre nous exactement comme si nous avions été autour de la table, dans une cuisine, à Montréal ou à Québec, et tout le monde parlait en même temps, heureux de se retrouver en pays de connaissance, de se découvrir des amis communs, des parents communs, des souvenirs communs, de pouvoir se dire qu'un coin de ce vaste monde nous appartenait, que sur la terre nous avions un chez-nous.

En même temps, je me sentais tout à coup transparent, vulnérable, comme si je n'avais plus, pour cacher mes angoisses, le mystère dont m'entourait la compréhension ou l'usage limité que j'avais d'une autre langue. Maintenant on comprenait tout ce que je disais et si j'étais différent, si j'étais étrange, ce n'était pas parce que j'étais étranger, c'était quelque chose en moi, quelque chose qui m'isolait et m'enfermait en moi, quelque chose que je ne disais pas : je n'étais pas parti pour les mêmes raisons qu'eux. Mais comment leur expliquer pourquoi j'étais parti, à eux qui étaient heureux, amoureux, sans soucis, qui ne se posaient pas de questions, pour qui le monde avait un sens ? Comment leur expliquer que j'étais parti parce qu'il me manquait quelque chose et que je ne savais pas quoi ? Que j'étais parti parce que je pensais qu'il y avait une autre façon de vivre, d'envisager la vie, et que je ne voulais pas attendre d'être mort avant de la trouver ? Comment leur expliquer surtout que je ne savais pas moi-même ce que c'était ? J'étais aussi ignorant qu'eux, et c'était cela qui me frustrait le plus, m'irritait et me contraignait au silence, car je ne pouvais rien dire, je ne savais rien, et c'était pour cela surtout que j'étais parti, pour chercher ailleurs la vérité que je ne trouvais pas en moi.

On me demanda de parler de mon voyage, de l'Irlande, de Londres, du Portugal. Je racontai mes mésaventures en essayant de me montrer sous mon meilleur jour, mais quelque chose n'allait pas, je n'y croyais pas moi-même ; retranché à l'intérieur de moi, écoutant ce que je disais, je me trouvais mortellement ennuyant. Bientôt je me tus, à court de mots ; il ne s'était rien passé et je n'avais rien vu. Alors je les écoutais, je les enviais, si jeunes, si légers, si amoureux, qui riaient, qui s'amusaient, qui voyaient tant de choses que je ne voyais pas. Comme si c'étaient eux qui allaient écrire un livre, et pas moi.

Après le souper, nous avions flâné un peu sur la place plongée dans la pénombre, éclairée ici et là par des lampes à pétrole. L'air était plutôt doux, la fumée par bouffées apportait les odeurs de cuisson qui montaient des dizaines de petits restaurants ambulants, les tambours n'avaient pas cessé de battre, entretenant la transe qui animait la ville. Michel et Maryse nous invitèrent à leur chambre.

Roch fit circuler une pipe de haschisch. Bientôt tout le monde riait sans savoir pourquoi. Chacun se mit à raconter ses pires souvenirs de voyage, les chambres les plus infectes, les transports les plus inconfortables, les attentes les plus longues, les arnaques les plus grossières, c'était une sorte de catharsis, chaque nouveau désagrément était accueilli par de grands éclats de rire. Roch riait avec nous mais, ce moment d'euphorie passé et profitant du fait que nous reprenions notre souffle, il se lança tout à coup dans un grand discours sur nos préjugés et notre racisme latent. Au début, je croyais qu'il blaguait, mais il était sérieux. Il s'était fait des amis marocains durant son séjour ici et il trouvait injuste la réputation qu'on leur faisait. Ils n'avaient peut-être pas les mêmes valeurs que nous mais c'était *du bon monde*, ils nous paraissaient parfois rudes ou violents, mais c'était la vie qui était comme ça. Ici, pour manger de l'agneau, il fallait d'abord tuer un agneau. Les gens étaient restés en contact avec la nature, avec les animaux, les plantes. Et puis il ne fallait pas oublier tout ce que nous leur avions fait subir, les guerres, les conquêtes, la colonisation. Ils avaient de bonnes raisons de se méfier de nous.

Après l'intervention de Roch, nous avions prudemment laissé les Arabes de côté et nous nous en étions tenus aux peuples de notre race. Nous en étions arrivés aux conclusions suivantes : les Français étaient prétentieux et finalement assez cons ; les Allemands, corrects mais un peu fermés ; les Hollandais, sympathiques et utiles car polyglottes ; les Italiens, peu nombreux, étaient fous ; les Australiens étaient bruyants ; les *Canadians*, épais ; les Américains, crétins, arrogants et insupportables – même s'il y avait des exceptions. Mais, tout compte fait, il n'y avait que nous, Québécois, qui possédions ce charme, cette simplicité, cette ouverture d'esprit qui faisaient de nous de merveilleux ambassadeurs de notre pays, des visiteurs qu'on accueillait toujours avec plaisir. Quant à moi, d'après les descriptions que je venais d'entendre, j'avais un peu l'impression d'être un Allemand.

Plus tard ce soir-là, Michel sortit la carte du Maghreb et l'étala sur le lit. Les noms chantaient dans ma tête : Fez, Meknès, Ouarzazate, Tafraout, Goulimine, Tamanrasset, Sidi-Bel-Abbès. Comme toujours, je voulais tout voir et je me laissais séduire par des sonorités qui n'avaient sans doute aucun rapport avec la réalité qu'elles représentaient. Michel me recommanda Essaouira, plus au sud, si je cherchais un peu de chaleur, la mer et le soleil. Mais, pour aller en Algérie, pas de chance, je devrais ensuite remonter jusqu'au nord, à Oujda, seul point de passage ouvert entre les deux pays qui se querellaient depuis toujours pour des questions de frontière. Michel ne connaissait pas l'Algérie, mais Roch avait entendu dire qu'on pouvait y circuler sans problème et, selon lui, je pourrais sans doute atteindre Tunis en moins d'une semaine. Il me faudrait probablement un visa, je pourrais me renseigner à Rabat, c'était sur mon chemin.

Pas trop sûr de mes projets, j'empruntai la carte et rentrai à mon hôtel. Je n'avais aucune idée de ce qui m'attendait. J'avais un but, mais je n'avais pas de plan. Je faisais confiance au destin. Pouvait-on faire confiance à sa destinée ?

Une erreur à grande échelle

Ridicule, oui, d'être rendu à Marrakech. Une erreur à grande échelle : je me suis trompé de continent. Me voici en Afrique du Nord alors que je devrais être au Moyen-Orient. J'ai tourné à droite à Toulouse, il aurait plutôt fallu prendre à gauche et me rendre jusqu'à Marseille. Ridicule, mais c'est là que j'en suis, alors quoi faire maintenant ?

Installé à la terrasse du Café de Paris, j'écris. Ici, personne ne vient m'importuner, les garçons, très parisiens, en gilet rayé, chemise blanche et nœud papillon, se chargent de la tranquillité des clients. En fait je n'écris pas vraiment, je prends quelques notes, comme des instantanés, des photos cadrées à la va-vite, que je développerai plus tard. Comment pourrais-je écrire ? Ça ne s'arrête pas une seconde. Dès qu'on met le nez dehors, ça s'enclenche. Un âne enseveli sous un chargement de menthe fraîche refuse de bouger et bloque tout un carrefour ; un boucher au visage rougi par l'effort découpe à la scie des carcasses d'agneaux ; un homme, debout au milieu de la rue, essaie de vendre deux chemises et un pantalon qu'il tient au bout de son bras; d'autres hommes, accroupis, martèlent le fer dans de petits ateliers sombres où on les distingue à peine; des femmes tissent sur des métiers installés le long des maisons et occupent toute la rue avec leurs fuseaux et les longs fils qu'elles embobinent; on lave sa boutique, les murs, le trottoir; on parle, on crie, on s'engueule, partout on travaille, on gagne sa vie, ça pue ou ça sent bon, mais ça sent toujours quelque chose, les enfants courent partout, quêtant de l'argent, répétant à chacun « bonjour, bonjour, Ali Baba » et tout cela forme un magma plutôt joyeux finalement, plein de bruit et d'énergie, de vie et de mouvement. Marrakech, c'est un grouillement continuel, un chaos total, un brassage géant de sons, de couleurs et d'odeurs, un tourbillon perpétuel. Les ruelles sont souvent boueuses et sombres, le soleil n'y pénètre pas, empêché par des nattes en bambou tressé ou des tapis suspendus comme un toit sur des armatures de bois ou de métal entre lesquels, ici et là, des trouées de lumière s'engouffrent et cet éclairage mobile, bleuté, imprécis, aveuglant, mêlé aux fumées des cuissons, de l'encens, des feux de bois, transforme tout en un pur cinéma, un jeu d'ombres mouvantes, comme si toute chose était illusion, fantaisie, simple imagination colorée, insaisissable, irréelle.

J'ai passé la semaine avec Maryse et Michel, à visiter des sites touristiques. Maryse est une organisatrice-née, elle s'occupait de tout : lire les brochures, vérifier les heures d'ouverture, se renseigner sur les trajets. J'étais content de me joindre à eux, content de ne pas être seul ; en même temps ça m'ennuyait un peu de ne plus l'être, de n'être qu'un touriste parmi les autres, comme les autres. Ensemble, nous avons visité des mosquées, des palais aux plafonds sculptés comme des gâteaux de noces, l'université coranique et ses salles magnifiques, et des tombeaux de je ne sais quelle dynastie, il y avait le choix : Almoravides, Almohades, Mérinides, Saadiens, Alaouites, Idrissides, je m'y perdais rapidement. Chaque soir, nous nous sommes retrouvés pour le souper avec des Hollandais, des Français, des Allemands, des Marocains aussi, puis dans la chambre des uns ou des autres à faire circuler la petite pipe magique et à entretenir une conversation sans trop de suite, entrecoupée d'éclats de rire, avec traductions plus ou moins simultanées de l'anglais au français, à l'espagnol, à l'allemand. C'était pratique, je n'avais qu'à les suivre. Maryse s'était même chargée de m'enseigner mes premiers rudiments d'arabe. *Sbahir*. Bonjour. *Lebès ?* Ça va ? *Shokran*. Merci. *Sri !* Va-t'en ! Cela suffisait pour mes conversations. Et puis *mektoub*, qui voulait dire quelque chose comme : c'était écrit. Mais qu'est-ce donc qui était écrit ?

Dix mille chiens

Michel et Maryse repartent demain vers Meknès, Roch et Lili prennent l'avion pour Montréal, et moi, finalement, j'ai décidé de faire un détour vers le sud, du côté d'Essaouira, avant de remonter à Oujda et de passer en Algérie. Ce soir, nous avons rendez-vous pour un dernier verre entre Québécois au Café de Paris. Tout le monde est joyeux, un peu fébrile à l'idée de repartir. On nous a donné notre table préférée au bord de la terrasse et nous venons à peine de nous installer lorsqu'une bagarre à coups de poing éclate sans avertissement entre deux jeunes Marocains assis à une table voisine. Roch s'empresse de mettre bon ordre à l'affaire. Il mesure bien un mètre quatre-vingt-dix et les Marocains, plutôt petits et malingres, ne discutent pas longtemps. Cela crée malgré tout un malaise. La conversation reprend et on oublie peu à peu l'incident, mais plus tard deux garçons s'approchent de la balustrade qui sépare notre table de la place et, après nous avoir salués en riant, nous proposent d'échanger Maryse contre cinquante chameaux. Roch nous explique aussitôt qu'il s'agit en fait d'un compliment. C'est une blague courante et plus la fille est belle, plus le nombre de chameaux est élevé.

—Et pour Lili, demande-t-il, combien m'offres-tu ?

Hélas, Lili n'est pas très jolie et l'un des garçons propose en ricanant :

— Pour elle ? Je te donne dix mille chiens, mon frère.

Roch se lève d'un bond, mais le garçon s'est déjà perdu dans la foule et l'obscurité.

— Il avait bu, dit Maryse pour l'excuser ou pour consoler Lili de l'offense. Il sentait l'alcool.

— Les Arabes ne « portent » pas l'alcool, ajoute Michel sans se soucier que son commentaire soit raciste ou non.

Les dix mille chiens sont une insulte que l'on préfère oublier ; elle reste quand même comme une petite tache sur notre soirée d'adieu.

Vers minuit je regagne ma chambre. Par la fenêtre, je regarde les façades ocre des maisons, éclairées par un maigre lampadaire, les cadres verts ou bleus des portes et des fenêtres. À la limite de mon champ de vision, une ruelle toute noire débouche en diagonale. Il n'y a personne, il ne se passe rien. Je regarde longtemps cette image, essayant de la fixer dans mon esprit, les couleurs d'aquarelle, la ruelle aussi noire que de l'encre de Chine, quelques taches de lumière au pied du lampadaire, un décor de théâtre plus que de cinéma.

Avant de m'endormir, je pense à Angèle, dans ma tête je recommence sans fin la lettre que je ne lui écris jamais. J'ai l'impression d'écrire à un fantôme, à un fantôme qui ne cesse de se rappeler à mon souvenir à force de n'être jamais là.

Chère Angèle, je t'écris comme on écrirait à un fantôme. Trois mois déjà que je suis parti, que je suis seul, que j'essaie de t'oublier. Chère Angèle, je ne t'ai pas oubliée, comment pourrais-je t'oublier, je ne pense qu'à toi et à ton absence, à tout ce qui n'a pas lieu parce que tu n'es pas là. Je ne me rendrai sans doute pas en Inde, cela me paraît de plus en plus évident et cela me dérange de moins en moins. J'ai renoncé à m'en faire une obligation. Je ne suis pas un pèlerin très obstiné. J'avais mal évalué la durée de mon pèlerinage. Je pense à la route qui m'attend, aux centaines de kilomètres à parcourir dans des trains bondés et des autocars étouffants. Je veux bien continuer, mais le but n'est pas d'arriver, il y a autant à apprendre ici que là-bas, n'est-ce pas ? Le but, c'est d'être en route, c'est de savoir ce qu'on est en train de faire. Ici. Maintenant. C'est ce que tu m'aurais dit, c'est ce que je me répète pour m'en convaincre, mais au fond je n'en crois pas un mot.

2

Yeux chassieux, lèvres gercées, bouches édentées, nez coulants, mains rougies, doigts calleux, tous les passagers de l'autocar qui m'amène à Essaouira ont l'air vieux et malades, offrant chacun une version différente des mille et un maux qui nous menacent. À l'endos du billet que j'ai acheté, la CTM, principale compagnie de transport marocaine, a pris la peine d'inscrire ceci : « Les heures de départ ne sont données qu'à titre indicatif. » C'est un euphémisme. Toute information concernant les transports est donnée ici à titre indicatif. Trouver à qui acheter son billet est déjà une aventure : dix personnes vous renvoient à dix endroits différents, quand elles n'essaient pas de vous vendre un billet elles-mêmes, vous indiquent un chauffeur, un comptoir, un guichet, vous entraînent à travers un dédale de voyageurs, de chèvres, de poules, d'ânes, vers un autocar qui n'est jamais le bon. Parfois c'est le chauffeur lui-même qui vous aborde dans la foule pour vous proposer une réduction et parfois ce chauffeur accommodant n'est pas un vrai chauffeur et disparaît avec votre argent. Tous les départs ont lieu à peu près en même temps, entre quatre et cinq heures du matin, dans un brouhaha de cris et de vociférations, l'odeur du diesel et la poussière irritante, avec des animaux partout, des gens qui vous poussent, les youyous des villageoises, les adieux, les lamentations, les engueulades, les bousculades. Ensuite, à chaque arrêt le long de la route, la même scène se répète, avec en prime des gens qui montent à bord pour mendier ou pour vendre toutes sortes de choses, des fruits, de l'eau, des pâtisseries, des souvenirs, des oiseaux même. Cent soixante et onze kilomètres à franchir, et le car met cinq heures pour y arriver, sous un soleil de plomb, sans climatisation et toutes fenêtres fermées, ce dont personne à part moi ne semble souffrir.

Assis sur la banquette du fond, coincé entre deux gros Marocains et leurs bagages qui occupent beaucoup de place, j'ai tout le temps qu'il faut pour me demander ce qui m'a poussé à partir en voyage. Pourtant, rien ne m'obligeait à prendre la route ; ou alors qu'est-ce qui m'y obligeait ? Je voulais fuir l'hiver, m'installer au soleil et écrire, mais, ça non plus, personne ne m'y obligeait, personne ne m'y oblige et il m'arrive de me demander pour qui je prends ces notes, pour qui je me sens tenu de rédiger ce rapport détaillé de ma présence sur terre.

Chère Angèle, c'est toi qui m'avais dit de prendre des notes, c'est le dernier conseil que tu m'avais donné, au moment où je montais dans l'autobus de la Greyhound, en novembre dernier, pauvre écrivain encombré de son parapluie et de sa conscience inquiète. Depuis je m'y astreins chaque jour, certain que tout ce qui me vient de toi ne peut être que bon, juste et salutaire, je m'y accroche avec entêtement comme je m'acharne à poursuivre ma route. Je n'ai pas de projet clair, pas d'idée préconçue, je me refuse à toute interprétation, je me colle au plus près des choses, je me laisse engluer dans un monde sans clarté. Je me laisse définir par le monde et le monde n'est qu'un désordre de perceptions sans unité et sans signification. Je suis plongé dedans et il n'y a pas de porte de sortie. Maintenant, tout ce que je peux faire est d'avancer encore, de m'y enfoncer encore, oubliant tout ce qu'on m'a appris, tout ce que j'ai lu, tout ce qu'on a dit et pensé avant moi, comme un guide d'utilisation dont je ne veux pas me servir parce que je veux comprendre par moi-même comment cela fonctionne. Maintenant tout est à l'extérieur, tout m'arrive sans que je ne décide rien, tout bouge, se transforme, se déforme, se défait sans que j'aie besoin d'y ajouter du mien. Et pourtant je sais que la lumière existe, qu'elle est là, quelque part au cœur de tous ces mots qui ne cessent de s'accumuler comme s'accumulent les gens que je croise et les paysages que je traverse sans parvenir à aller au-delà de la mince pellicule colorée qui me séduit et m'hypnotise tout entier.

Essaouira

Sur les conseils des amis de Marrakech, je prends tout de suite une chambre à l'hôtel de monsieur Boulad. Monsieur Boulad a la réputation d'être un homme très tolérant, très ouvert. L'hôtel, à l'intérieur de la médina, n'est pas facile à trouver. Il faut s'avancer dans un dédale de petites ruelles obscures, parfois voûtées, qui circulent comme des sortes de couloirs entre les maisons, avec des embranchements sans aucune indication où je me perds deux ou trois fois, aboutissant à des impasses au bout desquelles je me retrouve bloqué au pied du mur immense qui ceinture la ville et derrière lequel je peux entendre la mer sans jamais la voir.

Monsieur Boulad est absent à mon arrivée, mais Amir, son homme à tout faire, s'occupe de moi. L'hôtel compte une dizaine de chambres et sa clientèle ressemble à celle d'une auberge de jeunesse. On y trouve, me dit-il, des Américains, des Néo-Zélandais, des Anglais, des Français, des Allemands et même un autre Québécois. La chambre où il me conduit, au deuxième étage, est une grande pièce calme, nue et sombre. À part le lit, un seul meuble, une grosse commode à cinq tiroirs qui semble perdue dans autant d'espace. Tout est silencieux. Amir me remet la clé et me laisse m'installer. Pour le prix, je m'arrangerai plus tard avec monsieur Boulad.

La chambre me plaît et je suis bien content de savoir où je dormirai ce soir. Je dépose mon sac sur le lit, je ferme la porte à clé et je pars me promener, reprenant à l'envers les petites ruelles par lesquelles je suis venu, traçant dans ma tête le plan qui me permettra de m'y retrouver. Sortant de la médina, je m'engage dans une grande rue bien droite, bordée de beaux édifices avec des arcades en façade, qui m'amène jusqu'à un large boulevard au bout duquel j'aperçois enfin la mer. Tout est tranquille, rien à voir avec l'énervement et la frénésie de Marrakech ; pas de tambours, pas de musique, pas de cris, peu de mendiants, ici c'est le bruit des vagues qui sert de rythme de fond à la vie.

Je marche en direction du port. J'essaie de me souvenir des bribes d'histoire que Maryse m'a enseignées : Essaouira s'appelait autrefois Mogador, elle a été conquise et reconquise tout au long des siècles, par les Phéniciens, par les Grecs, par les Romains, elle a été redessinée par les Français, transformée en place fortifiée par les Espagnols, reprise par les Portugais, menacée par les Allemands, occupée par les Anglais, envahie par les Américains. J'atteins bientôt la mer, je grimpe sur les remparts, je trouve un coin à l'abri des regards et j'allume le dernier joint qu'il me reste. Des nuages d'oiseaux gris au ventre blanc passent en tourbillonnant comme une fumée, obéissant tous au même commandement, tournant en même temps, apparaissant en blanc et disparaissant en gris sur le ciel. Pendant un long moment, je les observe. Comment font-ils ? Quel signal reçoivent-ils ? À quelle volonté obéissent-ils ? Forment-ils tous ensemble une seule entité, possédant sa propre conscience ? D'où vient ce bel ensemble, cette parfaite coordination ? J'ai déjà lu quelque part que chaque cellule du cœur a son propre battement et que tous ces battements sont synchronisés pour produire le seul battement du cœur. Et toutes les cellules de mon cœur, je n'en doute pas, sont à leur tour synchronisées avec toutes les autres cellules de mon corps, pour former l'individu que je suis, toutes ensemble elles coopèrent, elles forment une seule conscience, un seul ego. Et cette conscience doit sans doute, comme ces oiseaux, s'accorder avec le rythme de toutes les autres consciences individuelles pour développer une conscience supérieure unique, où chacun disparaît sans cesser d'être lui-même dans quelque chose de plus grand, une volonté supérieure qui est aussi la volonté de chacun. C'est bien ça ? J'ai tout compris ?

Mais quand la conscience individuelle ne s'accorde plus spontanément aux autres, quand un oiseau ne suit plus le groupe, le plan de vol, l'organisation, le système, que se passe-t-il ?

Monsieur Boulad

Je reviens à l'hôtel vers six heures. En montant à ma chambre, je passe devant la pièce qui sert de bureau à monsieur Boulad. La porte est ouverte, il me fait signe d'entrer. Je n'ai pas besoin de me présenter, il sait déjà qui je suis. Il me souhaite la bienvenue. C'est un gros homme aux lèvres épaisses, aux grands yeux marron, à la peau sombre. Assis par terre sur des tapis devant une table basse, enfoui sous une montagne de djellabas et de couvertures, il est en train de manger un tajine. Je ne saurais dire son âge, soixante ans peut-être. À côté de lui, une pile de dictionnaires, avec sur le dessus un dictionnaire allemand. Et, assis à sa gauche, un drôle de type au teint pâle, les cheveux clairsemés, ni blonds ni roux, les dents plantées tout de travers, vêtu d'un blouson de cuir qui le fait ressembler à un vieux rocker de banlieue. «Il s'appelle Laszlo, dit monsieur Boulad, en me le présentant comme s'il n'était pas là. Il ne parle pas français, ni anglais d'ailleurs. Il est Hongrois. En tout cas, c'est ce qu'il m'a dit, mais comme il a perdu son passeport...» Il m'invite à m'asseoir, m'offre une tasse de thé. Le rocker hongrois me sourit de toutes ses dents différentes et ne dit rien. «Je ne sais pas quelle langue il parle. Il mélange tout. Je devrais peut-être le déclarer à la police, dit-il en regardant dans sa direction, mais qu'est-ce que ça donnerait? Ce n'est pas un méchant type. Il faut bien qu'il vive quelque part.»

Monsieur Boulad tape dans ses mains et une petite fille accourt desservir la table, elle doit avoir huit ou neuf ans. Puis elle revient avec des tasses et une théière, et une troisième fois avec du sucre et un gros cendrier. Elle enlève ses babouches chaque fois qu'elle entre dans la pièce, les yeux baissés, timide, elle se fait aussi discrète qu'elle le peut et se dépêche sur ses petites jambes. Monsieur Boulad, lui, n'est pas pressé. Assis devant son thé à la menthe, il semble là depuis toujours, et semble devoir rester là pour toujours. Il prend bien son temps, il pèse bien ses mots. Il me parle de la maison où nous sommes, c'est une maison historique, dit-il, elle a été habitée par Charles de Foucauld – est-ce que je connais Charles de Foucauld ? –, un explorateur, un missionnaire et un soldat, qui y vivait déguisé en émir car le Maroc, il y a cent ans, était encore un pays interdit aux chrétiens. Aujourd'hui, la maison est un hôtel propre et tranquille, m'assure monsieur Boulad. Les clients, ici, sont ses invités. Ils sont respectueux et apprécient le calme des lieux. Il y a une terrasse sur le toit où je pourrai faire mon lavage. Pour le prix, nous verrons plus tard, puisque je ne sais pas combien de jours je resterai. Nous nous arrangerons, il me fait confiance. Je le remercie et monte sur le toit où, m'a-t-il dit, tout le monde se réunit chaque soir pour admirer le coucher du soleil.

La terrasse en question n'est pas bien grande, avec une petite remise, une cuve à lessive et une corde à linge qui prennent beaucoup de place, mais nous sommes pour ainsi dire en plein ciel, le parapet est bas et nous dominons toutes les maisons des alentours. Il y a là pour le moment deux Néo-Zélandaises, une Anglaise, trois Allemands, un Français prénommé Didier, et Jean, le Québécois dont Amir m'a parlé. Tout le monde se présente tour à tour, avec de grands sourires, comme si nous étions dans un cocktail mondain. Le vent est tombé. On entend un artisan dans une boutique qui tape encore du marteau. Un coq chante. Des enfants crient dans la ruelle, en bas. Il est dix-huit heures trente, le soleil disparaît en beauté, grand disque rouge s'enfonçant dans la mer dans un tumulte de nuages sombres bordés d'un trait lumineux, pendant que le ciel vire au noir au-dessus de la médina blanche. Puis l'appel du muezzin jaillit brutalement des haut-parleurs et déchire le calme du soir de son chant strident, enrichi de grincements, de chuintements et de bruits parasites. Une autre voix lui répond d'un minaret un peu plus éloigné. Quelques chiens se joignent à la prière en aboyant.

Chez Youssouf

Des groupes se forment pour le souper. Je pars avec Jean et Didier vers le restaurant de Youssouf, l'homme-à-la-calotte-verte, dont on m'a parlé à Marrakech. Le restaurant n'a pas de nom ; on dit « chez Youssouf ». Et Youssouf n'a qu'un prénom, on le reconnaît à l'espèce de kippa verte qu'il porte en permanence et qui lui a valu son surnom.

On accède au restaurant de Youssouf en descendant quelques marches depuis le niveau de la rue et on se retrouve dans une pièce pas très grande, bleue et sombre, qui ressemble à un caveau avec son toit voûté. Les murs sont recouverts jusqu'à mi-hauteur d'une mosaïque passablement amochée et un divan rayé, lie de vin et bleu, court le long de trois des murs. Youssouf nous reçoit, échange quelques plaisanteries avec Jean et Didier, prend notre commande et retourne à ses fourneaux. C'est lui qui assure l'accueil, la cuisine et le service. Didier, le Français, connaît bien le Maroc, il y vient souvent. Il a tous les défauts qu'on reproche aux Français. Il sait tout, il ne se trompe jamais, il parle sans arrêt, il est raisonneur, râleur et arrogant. Cela mis à part, il m'a tout de suite paru sympathique. Il est photographe, il a une bonne tête, un bon sourire. J'en profite pour tester une théorie que je mijote depuis quelques jours. Je ne m'habitue pas à la mentalité des gens du pays, à ce chaos, cette désorganisation, où il faut toujours attendre. Le marchandage, entre autres, fait perdre un temps fou à tout le monde. Pour le moindre achat, même pour une paire de lacets, il faut marchander pendant dix minutes. Ma solution : il suffirait d'afficher des prix fixes pour économiser des milliers d'heures de bavardage inutile et rattraper peu à peu le rythme des pays occidentaux. Didier me répond par une question : oui, mais pourquoi sommes-nous si pressés, où allons-nous si vite ? Le marchandage ne sert pas seulement à fixer un prix, c'est surtout une occasion d'entrer en contact avec l'autre, de se parler. Toute la vie est là, dans cette discussion qui est aussi une rencontre, dans cet affrontement qui est en réalité un échange, dans ce face-à-face qui unit vendeur et acheteur dans une même improvisation.

Je ne sais pas quoi répondre, excepté ceci peut-être, qui me condamne en même temps : et si on n'a pas envie de rencontrer les autres ?

◈

Au retour, Jean m'invite à fumer un peu de haschisch dans sa chambre. Sur le petit lecteur de cassettes qu'il a eu la bonne idée d'apporter, nous écoutons des chansons québécoises. Ça nous change de ces mélopées plaintives qu'on entend toute la journée. Avec lui, je suis plus à l'aise, tout est beaucoup plus simple. Nous parlons la même langue. Je peux prendre mon temps ; même nos silences, nous les comprenons. Je peux dire ce que je ressens vraiment, ce que je ne peux m'empêcher de ressentir, malgré les mises en garde de Roch et ma propre conscience : je trouve le pays superbe mais je l'aimerais mieux sans les Marocains, je n'en ai pas encore rencontré un avec qui j'aie pu avoir un rapport franc et sincère, qui n'ait pas cherché à obtenir de l'argent ou à m'escroquer. Voilà, c'est dit, je me sens à la fois soulagé et coupable. Coupable de ne pas éprouver les bons sentiments, de ne pas ressentir les bonnes émotions. De ne pas, comme Roch, m'être fait plein d'amis. De ne pas, comme Maryse, vouloir tout apprendre. De ne pas, comme Didier, savoir m'intégrer parmi eux. Coupable de projeter sur tout un peuple mon expérience avec quelques individus et d'attribuer à tous les autres ces traits de caractère. Coupable de racisme, quoi.

Jean me rassure, me dit que je ne suis pas le seul à me remettre en question. Tout le monde en arrivant ici est un peu secoué et chacun s'adapte comme il le peut. D'abord, il n'y a pas de classe moyenne, il y a les riches et les pauvres – et quand on n'a pas les moyens de fréquenter les riches, qu'on ne voit jamais, on est toujours avec les pauvres, dans les quartiers pauvres, dans le monde des petites magouilles, de la débrouillardise, de la survie. Comme si, de Montréal, je ne connaissais que les bas-fonds, les tavernes, les ivrognes, les mal-pris, les exclus, les petits bandits. Ces gens-là n'ont pas le choix de leur gagne-pain. Et puis, ils ne nous aiment pas nécessairement non plus, ils ont toutes les raisons de ne pas nous aimer. Nous arrivons ici les poches pleines d'argent, après les avoir envahis et dominés à tour de rôle. Le racisme, me dit Jean, ce n'est pas de penser que les Arabes sont différents de nous, ce serait de croire qu'une race est supérieure à une autre, ce qui conduit généralement à penser que l'autre ne devrait pas exister.

Quelques fous

J'ai parlé jusqu'à tard dans la nuit avec Jean. Aujourd'hui, il fait soleil, presque chaud. J'achète le journal et je m'installe à la terrasse du Café de France. C'est le point de rencontre des voyageurs. Ici, il y a toujours quelque chose à voir, quelqu'un à qui parler, des amis qu'on retrouve à toute heure. Je me prépare à lire les nouvelles quand je remarque un homme en complet noir, mince et élégant, qui traverse la place d'un pas énergique et se dirige droit sur moi. Arrivé à quelques pas de ma table, il s'arrête tout à coup, reste figé un long moment, tourne la tête de chaque côté d'un mouvement brusque et rapide, puis s'approche en souriant. Il me tend la main et me dit en guise de salutation: «Bonne journée en ce huit neuf mars avril!» Il a un beau visage, des pommettes saillantes, des cheveux noirs lissés vers l'arrière, des yeux très intenses. Je lui serre la main, sans parvenir à accrocher son regard, qui semble fixer un point invisible derrière moi. Puis il détourne les yeux et repart, de son pas souple et vif. Je le vois s'arrêter un peu plus loin sans raison, toujours aussi brusquement. Cette fois, il fouille dans sa poche, en sort un objet invisible, le lance dans les airs, le rattrape, reste un moment sans bouger, puis se remet à marcher.

Arrive le Hongrois qui habite à l'hôtel. Je l'invite à prendre un café. Il accepte, tout content. Je devine, d'après ce qu'il me mime autant que par ce qu'il me raconte, qu'il vient de se faire mettre à la porte de l'hôtel; il n'a pas d'argent et monsieur Boulad refuse de lui faire crédit plus longtemps. Je sens qu'il cherche une oreille compatissante. J'essaie de parler un peu avec lui mais il parle une langue difficilement compréhensible. En fait, il ne parle aucune langue, comme disait monsieur Boulad avec un brin d'agacement. On finit pourtant par décoder le sens général de ses propos, en écoutant attentivement, en faisant la part de l'anglais, de l'allemand, du français. Il pas argent, il valise volée à Tanger, portefeuille, argent, papiers, *passport*, *everything*. Il *commissariatt*, plainte ; eux, menaces, prison. Après, le mot police revient souvent. Si j'ai bien compris, il a dû se cacher, disparaître à Casablanca, il a travaillé dans un garage, puis police, alors il est venu ici, mais police, il ne peut pas travailler. Pour terminer cette histoire en beauté, il est tombé amoureux, ici, à Essaouira. Il sort une photo de sa poche : une Marocaine, très jolie, elle doit avoir à peine vingt ans. Je me dis que j'ai peut-être mal compris.

L'homme de tout à l'heure s'est remis en marche. Il se dirige vers un petit groupe qui entreprend de traverser la place. Je reconnais les deux Néo-Zélandaises de l'hôtel en compagnie de deux autres filles. Il va les saluer, les embrasse sur les joues, les serre dans ses bras. Les filles ne savent pas trop comment réagir, elles rient nerveusement, l'homme en profite pour les caresser jusqu'à ce qu'elles réussissent à s'enfuir.

— Il fou, me dit le Hongrois en tapotant sa tempe avec son index.

Je ne le trouve pas si fou, quant à moi, je l'envie même beaucoup. J'aimerais voir comment ça se passe dans sa tête, il a l'air de bien s'amuser.

Irresponsable, voilà ce que je voudrais être.

J'ai trouvé par l'intermédiaire de Jean un vendeur en qui on peut avoir confiance ou, en tout cas, presque confiance. Prenant son rôle très au sérieux, celui-ci m'explique qu'on trouve sur le marché cinq qualités différentes de haschisch : le spoutnik, le double zéro, le zéro, le première classe et le deuxième classe. Il ne peut pas me vendre du spoutnik, et le double zéro est trop cher, mais celui qu'il m'offre est malgré tout très bon. Ce n'est pas du deuxième classe comme ce qu'on vend généralement aux touristes. Je ne peux m'empêcher de penser qu'il me sert tout ce baratin pour endormir ma méfiance et pour me refiler sa camelote, mais je le laisse faire. Je monte sur la terrasse pour fumer avec lui et, après quelques bouffées, je me mets à paniquer, complètement paranoïaque. Je me sens mal, j'ai peur qu'il me dénonce à la police, peur de ce qu'il m'a fait fumer, peur de tomber du toit. Je suis saisi d'un tel vertige que je dois m'asseoir et que je n'ose plus bouger. Mon vendeur me laisse là, estimant que je suis satisfait de la marchandise. Finalement je dois me déplacer à quatre pattes pour regagner l'escalier et revenir à ma chambre. Étendu sur le lit, j'ai la tête qui tourne, je n'arrive pas à me concentrer, et les idées, les images, les réflexions, les souvenirs se succèdent, s'enchaînent, tournoient, m'emportent dans un manège de montagnes russes qui s'arrête parfois un instant sur une seule idée claire, je n'aurais pas dû fumer, puis redescend à toute allure à travers un flot de souvenirs brouillés par la vitesse et vire sans ralentir à angle droit sur un mot, sur un visage, pour repartir sur une autre piste, dans une autre direction. J'ai mal au cœur et je voudrais descendre.

Didier

Didier n'arrête pas de parler. Hier il m'a fait un long réquisitoire contre le progrès. Ce que nous appelons progrès est un mode de vie directement lié à l'accélération des activités humaines, qui doivent s'ajuster au rythme des machines et de la production. Le mode de vie traditionnel résiste à ce changement de rythme. C'est une forme d'organisation lente. Les activités traditionnelles sont parfois machinales mais elles ne sont pas mécaniques. Elles impliquent toujours toute la personne. Au contraire, pour que la chaîne de montage fonctionne, il faut que l'homme devienne lui-même une pièce de la machine, un homme sans identité, capable de fonctionner adéquatement dans une organisation qui ne tient compte que d'une seule de ses dimensions, sa force de travail. Quand la machine impose son rythme, le prix à payer pour le « progrès » qui en résulte, c'est la perte des relations entre les hommes et du sens de la communauté, accompagnée d'un travail généralement plus ennuyant et moins sain. Pour arrêter cette catastrophe, une seule solution : l'anarchie.

Didier est anarchiste, j'aurais dû m'en douter. Il enchaîne sur Mai 68 et la vie dans les communes pour aboutir finalement aux énergies renouvelables. Il a des idées précises sur la façon dont on pourrait améliorer les conditions de vie ici, sans heurter les habitudes locales. L'énergie solaire, par exemple. Un panneau solaire mesure un mètre vingt-cinq de côté et peut produire quelques dizaines ou centaines de watts d'énergie par jour. Il suffirait d'installer tant de ces panneaux à tel ou tel endroit pour fournir toute l'électricité nécessaire au pays sans créer de dépendance à un système de distribution central. Je me trouve bien ignorant devant cet esprit clair et pratique. Mais oui, il y a moyen d'agir, d'aider, de faire quelque chose, mais ce n'est pas en partant sur les routes observer les gens sans jamais vraiment les rencontrer que j'y parviendrai. Je me mets à imaginer un Maroc socialiste et prospère, puisant à volonté l'énergie du soleil, se transformant peu à peu sans pollution, mais Didier met bientôt fin à mon beau rêve ; ça ne peut pas marcher, pour des histoires de pétrole, de dynasties, de luttes de pouvoir, et parce que, finalement, « de toute façon, les Arabes sont trop cons ».

Je monte faire mon lavage et prendre un peu de soleil sur la terrasse. Ma chemise préférée est si usée qu'elle se déchire quand je frotte une tache. J'essaie d'aborder les Australiennes mais elles semblent totalement insensibles à mon charme. Étendues en maillot sur leur serviette, elles s'abandonnent aux rayons du soleil, qui les pénètre partout tandis que je me contente de les regarder. Amir semble avoir soudain beaucoup à faire dans les environs. Tout le temps que je suis là, il va et vient en transportant le même seau vide. Des réparations urgentes, semble-t-il.

Jours de pluie

J'ai à peine eu le temps de profiter du soleil quelques heures que déjà des montagnes de nuages s'installent à l'horizon. Ensuite le vent se lève et il commence à pleuvoir. L'atmosphère de la ville change en même temps que la météo. Ce qui était joyeux est devenu triste, ce qui paraissait accueillant semble maintenant cacher une menace. Les nuages lourds annulent toute clarté ; les façades des maisons, les rues, les gens, tout a pris la même teinte un peu délavée, entre ocre et sépia.

Nous passons l'après-midi dans un café à jouer au billard, Jean, Didier et moi. Le patron essuie des verres derrière son comptoir, nous sommes les seuls clients et nous prenons bien notre temps, nous ne sommes pas pressés, il n'y a rien d'autre à faire. Tandis que nous jouons, deux jeunes Marocains arrivent, excités, arrogants, habillés à l'occidentale de jeans de marque et de chemises voyantes. Il n'y a qu'une seule table. Ils insistent pour jouer avec nous. Je suis prêt à leur laisser la place mais Didier est plus rapide que moi. C'est le type de jeunes Marocains américanisés et prétentieux qu'il ne peut supporter. Il se met à discuter avec eux, à leur reprocher leur façon de vivre, leur manque d'éducation. Je suis certain que ça va mal tourner. Le ton monte, Didier ne veut pas céder, l'un des deux jeunes s'emporte et crie quelque chose en arabe. Je ne sais pas ce qu'il a dit, mais il n'aurait pas dû ; le patron hors de lui quitte son comptoir et le met à la porte avec son copain en les tirant par la veste et en les engueulant à son tour. Ensuite, le calme revient mais nous n'avons plus tellement le cœur à jouer. Je me demande ce qu'ils ont bien pu dire de si effroyable. Didier part le premier, il a besoin de prendre un peu d'air. Je rentre à l'hôtel avec Jean. Il commence à nous tomber un peu sur les nerfs, le Français.

Nous soupons chez Youssouf, Jean et moi. Nous parlons avec lui du Maroc et des changements qui se sont produits depuis quelques années. Youssouf n'est pas un partisan du progrès. Il y sent une menace qu'il ne réussit pas à préciser. Le téléphone, la télévision, les fusées, c'est bien beau, mais au Maroc il y a des gens qui n'ont pas besoin de ça parce qu'ils possèdent des pouvoirs magiques qui sont beaucoup plus puissants. Des pouvoirs magiques, Youssouf ? Oui, des pouvoirs magiques. Youssouf a piqué ma curiosité. Je lui demande de quel genre de pouvoirs il parle. Il me donne un exemple : ces mages, ou ces magiciens, peuvent faire un dessin au-dessus d'une porte, ou y inscrire quelques signes secrets, et ensuite tous ceux qui franchiront cette porte deviendront fous. Ou encore, d'un simple geste de la main, en passant devant une boutique, s'ils veulent se venger de son propriétaire, ils peuvent transformer tout ce qui s'y trouve en charbon, par exemple tous les pains deviendront du charbon, si c'est un boulanger, ou n'importe quoi d'autre, même des bijoux.

Et encore, Youssouf?

Après le tremblement de terre d'Agadir, la rumeur voulait que les Français en aient été responsables, car ils avaient exécuté des travaux de dynamitage qui avaient affaibli le sol, et c'est à la suite de ces travaux que la catastrophe était survenue. Le vieux roi Mohamed V était un grand magicien. « Si c'est le cas, déclara-t-il quand on lui rapporta cette rumeur, à moi seul, en l'espace d'une nuit, je détruirai la France. »

Et alors, Youssouf? Que s'est-il passé? La France a-t-elle été détruite?

Non, car on fit venir des experts allemands et des experts américains qui tous ensemble en vinrent à la conclusion que le tremblement de terre était bien dû à des causes naturelles. Grâce à eux, Mohamed V n'eut pas à mettre sa menace à exécution et la France fut épargnée.

Je demande à Youssouf pourquoi le roi, puisqu'il est si puissant, n'utilise pas ses pouvoirs pour régler les conflits de frontière avec l'Algérie dont on entend toujours parler. Ma question ne le trouble pas. Si le roi n'utilise pas ses pouvoirs pour régler les différends avec les Algériens, c'est bien évidemment parce que eux aussi sont Arabes et donc des frères, des gens du même sang.

Les jours suivants, le mauvais temps persiste. Les rues sont boueuses et pleines de flaques d'eau, les terrasses désertes, et il n'y a pas grand-chose à faire. Il pleut souvent à verse et le vent souffle encore plus fort. Pour passer le temps, nous nous retrouvons par petits groupes et selon les affinités dans les cafés, au billard ou chez ceux qui disposent des chambres les plus grandes, profitant des accalmies pour passer d'un hôtel à l'autre. Nous sommes souvent huit ou dix et les journées s'écoulent à fumer du haschisch, à jouer aux cartes et à parler pendant des heures, ou à nous écraser dans un coin et à sourire béatement. L'atmosphère est plutôt familiale, tout le monde finit par connaître tout le monde, personne n'a envie de partir par un temps pareil et comme personne n'est vraiment pressé, nous attendons patiemment que le ciel se dégage. Je n'avance pas, j'ai hâte de quitter Essaouira mais au moins je ne suis pas seul, j'ai l'impression d'être dans le même voyage que les autres.

Youssouf, chez qui nous mangeons presque tous les jours, nous a invités hier, Jean et moi, à partager son fameux tajine royal avec lui en signe d'amitié. Ce soir, il me prend à part et m'explique que nous ne lui avons rien donné pour le souper. C'est lui qui nous avait invités, mais il aurait aimé que nous lui donnions quelque chose. Il pensait qu'il existait entre nous une certaine complicité. Il est déçu que nous ne soyons pas de meilleurs amis. Je lui explique que nous ne savions pas, que nous sommes désolés, et je lui donne aussitôt dix dirhams. Avec un grand sourire, il me dit que c'est trop et m'en remet deux.

Quatrième jour de pluie depuis mon arrivée. Mes journées deviennent de plus en plus ordinaires, de plus en plus semblables et banales. Le matin, je roule cinq joints que j'ai le temps de fumer avant l'heure du souper sans ressentir vraiment de plaisir. Moi qui rêvais de soleil, je passe mes journées enfermé dans ma chambre, à lire dans la pénombre. Le ciel est bas, on ne rencontre plus personne, chacun est cloîtré chez soi.

J'essaie d'écrire à Angèle.

Chère Angèle, il était une fois un voyageur parti à la recherche d'une vérité immuable et qui, de détour en détour, avait fini par se trouver complètement perdu. Chère Angèle, ce voyageur, c'était moi.

À suivre

À l'hôtel, l'atmosphère est bizarre. Hier soir en rentrant, il y avait des taches de sang sur le plancher de la réception. Aujourd'hui, Amir nous accueille la main entourée d'un bandage. La rumeur veut qu'il ait reçu un coup de rasoir dans une bagarre. L'histoire n'est pas claire, il est question d'une fille de la ville et de ses deux frères venus la venger. Amir prétend que c'est lui qui s'est porté à la défense de la fille contre ses frères qui la terrorisaient. Il a l'air un peu coupable mais son orgueil est blessé et les choses, dit-il, ne vont pas en rester là. Vendetta en vue. Affaire à suivre.

Je joue à la belote avec Laszlo, le Hongrois. Personne ne veut l'héberger, il commence d'ailleurs à sentir un peu mauvais, l'odeur d'une vieille couverture de cheval, peut-être dort-il dans une écurie quelque part. Dans sa langue que je décode de mieux en mieux, il me raconte qu'il a marché toute la nuit, il n'a plus d'endroit où dormir. Cette nuit, il marchera encore. Il n'a pas mangé mais la belote lui fait du bien, il oublie tout, il est content. Il a vraiment une drôle d'allure, mais il est plein de bonne volonté et il ne se plaint pas quand il raconte les malheurs qui s'abattent sur lui. Il les constate, simplement. Il ne veut pas de pitié, il cherche seulement un témoin qui puisse lui confirmer son incroyable malchance.

⟡

Il fait noir, je reviens à l'hôtel, une bagarre éclate au coin de la ruelle. C'est sérieux, ils sont trois contre un, deux qui maîtrisent un type en lui tenant les bras et l'autre qui lui cogne violemment la tête contre le mur. Personne ne dit un mot. J'entends juste leurs respirations haletantes et le bruit sourd des coups, et j'ai peur qu'ils ne lui fassent éclater le crâne. Je suis seul et je ne m'attarde pas. Je ne suis pas un héros et je n'ai aucune intention de me mêler des affaires de quatre Arabes dans une ruelle. Non-assistance à personne en danger. Qu'aurais-je dû faire ? Rentré à l'hôtel le cœur battant, je m'arrête en passant à la chambre de Jean. Je sens encore les ondes physiques de cette violence. Je n'aurais pas voulu être à la place de ce type. Jean dit que c'est sûrement une affaire de drogue. Nous n'avons pas à nous mêler de ça. De toute façon, il n'y a rien à faire. Inutile d'ameuter tout le quartier. Ce sont des trucs qui arrivent souvent. Prévenir les policiers ? On ne sait même pas comment faire, où ils sont, s'il y en a. Tant pis. Un être humain se fait massacrer à deux pas de nous et nous écoutons une fugue de Bach sur le petit lecteur de cassettes de Jean.

Au bout de quatre jours, le ciel se dégage enfin. Le beau temps revenu, tout le monde semble s'être mis à son lavage. Nous sommes sept ou huit sur la terrasse parmi le linge étendu partout. Jean s'en va rejoindre sa copine à Marrakech. Aussitôt mes vêtements secs, je me mets en route pour l'Algérie.

Dernier souper chez Youssouf. Le Hongrois est là. Il a dormi sur la terrasse de l'hôtel la veille, en cachette; monsieur Boulad le lui a interdit, mais Amir le laisse entrer. Il déborde de joie, il a trouvé du travail dans un garage de la ville. Je lui paie à dîner. Pendant que nous sommes à table, un homme que je n'ai jamais vu s'approche de lui et se met à l'engueuler en arabe; je ne comprends rien, le Hongrois ne semble pas comprendre non plus, mais je ne jurerais pas qu'il ne sait pas de quoi il s'agit. L'homme finit par s'en aller, fulminant toujours. Youssouf, qui essuie des verres à l'arrière, me fait signe qu'il est un peu fou. Je ne sais pas duquel il parle.

Voilà, je partirai sans savoir la suite, je laisse tout cela derrière moi. Tout cela s'effacera, comme tant d'autres rencontres sans lendemain. Ce n'était rien, c'était comme ça. Tant pis, je tourne la page et je verrai bien ce qui m'attend.

D'ABORD LE CAR jusqu'à Casablanca, sept heures de route pour un trajet de trois cents kilomètres dans une chaleur étouffante, à une vitesse moyenne avoisinant celle des ânes et des mulets que nous côtoyons en chemin. À chaque arrêt, c'est du grand théâtre. En plus des mendiants et des vendeurs ambulants, parfois un conteur vient s'installer à l'avant, accompagné par un ou deux musiciens qui bloquent le passage à tout le monde. Dans un village, un homme à moitié fou, en plein délire, se précipite à l'intérieur et trois passagers doivent prêter main-forte au chauffeur pour le faire descendre. Autre empoignade plus tard avec un resquilleur qui ne veut pas s'en aller et s'accroche à tout ce qu'il trouve, banquettes, poignées, bagages, passagers et, une fois dehors, aux pare-chocs, aux essuie-glaces, même aux pneus, dix minutes à se hurler par la tête, à se menacer, à se bousculer, et tout ça, je m'en aperçois tout à coup, juste en face d'un bureau de la gendarmerie, sans que personne ne songe à aller déranger les gendarmes pour si peu.

J'arrive en fin d'après-midi à Casablanca. La ville est en fête, tout entière décorée aux couleurs nationales. Partout, des portraits du roi Hassan II, des milliers de drapeaux rouge et vert, et de longues banderoles rouges ponctuées d'étoiles vertes. Tout est bruyant, encombré, difficile, il est tard et à cause de la fête je ne pourrai pas repartir aujourd'hui. Je cherche une chambre près de la gare et je finis par aboutir dans un hôtel aussi sordide que la première fois mais où au moins on peut laisser ses bagages. Je sors prendre un café.

À la terrasse où je m'installe, je suis aussitôt accosté par un nouvel «ami». Il veut savoir de quel pays je viens, à quel hôtel je suis descendu, depuis quand je suis arrivé, si j'aime le Maroc, si je suis marié, pourquoi je suis seul... Je l'interromps pour lui demander ce qu'on fête aujourd'hui. C'est le dixième anniversaire de la victoire du Maroc contre les Algériens, ou les Mauritaniens, ou le Front Polisario, ce n'est pas très clair et de toute façon la guerre a repris depuis. Mon «ami» s'intéresse plus aux réjouissances qu'à la politique. Il veut absolument me rendre service, me trouver du haschisch, une montre en or, une fille, ou encore un authentique tapis berbère si c'est vraiment ce que je préfère. Il m'offre même de passer la nuit avec moi. J'ai perdu l'habitude de ce genre de harcèlement, je lui donne cinq dirhams presque avec plaisir pour m'en débarrasser.

Je ne réussis pas à m'endormir. J'essaie de comprendre comment j'ai pu me retrouver ici. Plus j'y pense, plus ce voyage me paraît la parfaite métaphore de ma vie, un voyage désorganisé, sans plan, sans horaire, sans programme, sans but. Et moi je suis ce voyageur déboussolé, perdu, parce qu'il n'y a rien de précis, parce que tout est possible, un voyageur à la merci des hasards de la route et des dieux des frontières. Mais ce n'est pas une métaphore, c'est ma vie, ma vie pour vrai. À chaque jour, à chaque instant, je fais des choix et, sans le savoir, je décide en même temps de ce qui m'arrivera plus tard. Si je prends ce train, si je descends à cet hôtel, si je vais parler à cet homme plutôt qu'à cet autre, j'en subirai les conséquences pour le reste du voyage. Ou peut-être ces gestes n'auront-ils aucune suite, aucune importance, je n'en sais rien, ce n'est pas arrangé d'avance, je ne sais pas où ça mène, ni même si ça mène quelque part. Le but que je me suis fixé est trop vague, trop lointain, presque abstrait. L'Inde. L'Inde comme métaphore de l'absolu. Mais ce n'est pas une métaphore, ça non plus.

J'ai mal dormi, je suis fatigué et j'ai la diarrhée. Casablanca a l'air d'un lendemain de fête, avec ses rues sales et quasi désertes, ses décorations tristes sur le ciel gris. Je prends l'autocar pour Rabat. Puisque personne ne semble pouvoir me renseigner sur la situation qui m'attend en Algérie, j'ai décidé de faire un arrêt à l'ambassade canadienne. Il y a à peine cent kilomètres entre Casablanca et Rabat mais, comme toujours, les choses traînent en longueur et je ne parviens à voir un fonctionnaire qu'au milieu de l'après-midi. Il me confirme que la frontière est ouverte à Oujda, que c'est le seul point de passage entre les deux pays et que je n'ai pas besoin de visa. Il me conseille tout de même de m'enregistrer auprès de l'ambassade en arrivant à Alger, on ne sait jamais... Cinq minutes à peine et je suis sorti. Encore malade, je n'ai ni le goût ni la force de jouer au touriste. Je loue une chambre, je me couche sans souper et je dors jusqu'au lendemain.

Le train du Nord

Le voyage en train jusqu'à Oujda dure une bonne partie de la journée. Je ne suis pas en forme et je n'ai pas pris le temps de m'organiser, je n'ai rien à boire ni à manger, pas de journal à lire, pas d'horaire pour savoir où je suis rendu. Le train serpente paresseusement, en faisant de grandes courbes successives, dans un paysage de collines et de vallons dénudés où courent sans fin les sillons des champs labourés. Ici et là des groupes de paysans travaillent courbés sous le soleil, des femmes font leur lavage le long d'une rivière. Les villages, on les remarque à peine ; quelques maisons, basses, brunes comme le sol, presque invisibles, avec des fenêtres qui ressemblent à des meurtrières, découpant dans les murs un mince trait horizontal comme l'ouverture d'une burqa. Entre les villages, perdus ici et là, des troupeaux de moutons crème, ocre, bruns, parfois seulement une dizaine, parfois plus de cent, et les bergers dans leurs grands vêtements sombres, seules lignes verticales à des kilomètres à la ronde. J'envie leur simplicité, cette vie dépouillée de tout accessoire, réduite à l'essentiel, limpide. J'aimerais vivre comme ça, mais je sais bien que pour moi ce n'est plus possible, alors je me dis que ce berger marocain qui garde ses moutons dans un paysage vide est lui-même beaucoup trop compliqué si on le compare à ses bêtes. Il s'habille au lieu d'aller tout nu, il parle au lieu de bêler, il décide et commande au lieu de suivre, d'obéir et de brouter. En fait, c'est un mouton que je voudrais être.

À l'heure du dîner, une petite famille vient s'installer dans mon compartiment, le père, la mère et leurs deux enfants de cinq ou six ans. Les parents sont jeunes et souriants, lui grand et barbu, en djellaba brune, elle tout en bleu ciel, le teint foncé et les yeux rieurs derrière son voile. On dirait vraiment Joseph et Marie, comme dans les livres d'histoire sainte qu'on nous lisait quand nous étions enfants. Dans cette version, Jésus a une petite sœur, je trouve que c'est une bonne idée. Ils me saluent gentiment et s'installent en s'excusant de me déranger. Les enfants rient et s'amusent, et peu à peu je suis envahi par une impression étrange, que je n'arrive pas à m'expliquer. Et puis je comprends. Ils ont l'air de s'aimer, voilà qui est extraordinaire, ils ne crient pas, ils ne s'engueulent pas, ils ne se menacent pas, ils ont l'air d'une famille heureuse qui fait un beau voyage en train. Je ne me sens ni agressé, ni menacé ; bien au contraire, ils sortent leurs provisions et m'offrent à boire et à manger, et il me semble n'avoir jamais mangé de pain aussi bon, aussi parfumé que ce pain-là. Un peu plus tard, ils descendent tous les quatre dans un village, attendant sur le quai pour me dire au revoir et, quand le train repart, je reste longtemps sous le charme de cette rencontre.

Et tout à coup, c'est comme une révélation. Ma religion, celle qu'on m'a enseignée, chez moi, à Montréal, a pris naissance quelque part dans un pays semblable à celui-ci, un pays qui nous est totalement étranger, étranger par sa langue, par ses vêtements, par son mode de vie, sa musique, son climat, un pays avec des déserts, des chameaux, des ânes, des palmiers, des oasis et des mirages ; ma religion correspond parfaitement à la vie qu'on mène ici, mais elle n'a absolument rien en commun avec mon univers à moi, avec ma vie de tous les jours. Ma religion est née de divergences entre peuples sémites, et c'est cette religion qui devrait me relier à la divinité, à mes voisins, m'aider à comprendre qui nous sommes, qui je suis ? Une religion où il n'y a pas d'ours, pas de castors, pas de forêts d'épinettes, pas de bûcherons, pas de canots d'écorce, pas de Grand Manitou ? Comment prendre tout cela au sérieux ? Nous aurions aussi bien pu adopter l'hindouisme et vénérer une multitude de dieux et de déesses colorés entourés de singes, d'éléphants, de tigres et de phallus dressés.

Plus tard, c'est un vieux Marocain qui vient s'asseoir en face de moi. Monsieur Diawa est un ancien fonctionnaire qui parle un français soigné. Il m'explique en quoi Oujda est une ville différente des autres villes marocaines et comment elle a toujours été isolée du reste du pays par sa position géographique qui favorisait plus naturellement les communications avec l'Algérie. C'est d'ailleurs pour la rattacher à Fez que les Européens avaient décidé de construire ce chemin de fer. Malgré cela, dans cette région frontalière, on continuait d'entretenir des rapports étroits entre pays voisins. Il se faisait beaucoup de commerce, la ville était prospère, il y avait des hôtels, des restaurants et un va-et-vient continuel de voyageurs. Mais les choses ont changé il y a cinq ans avec la Marche verte. Répondant à l'appel du roi Hassan II, trois cent cinquante mille civils, sans armes, tenant dans une main le drapeau marocain et dans l'autre le Coran, ont pénétré à pied dans le Sahara, plus au sud, pour revendiquer pacifiquement la restitution de territoires usurpés autrefois par l'Espagne. Même si elle avait la prétention d'être pacifique, cette manifestation déclencha une nouvelle guerre. Et même si elle avait lieu très loin de là, pour Oujda, les répercussions furent énormes. La frontière fut fermée, la ville devint un cul-de-sac. Monsieur Diawa regrette l'époque du roi Mohamed V. Depuis son décès, les choses ne sont plus comme avant. Mohamed V était un homme sage et un mage puissant, que tout le monde aimait. Sans recourir à la guerre, il avait redonné au Maroc son indépendance.

— Chez nous, m'explique-t-il, on dit que le Maroc, c'est l'homme, la Tunisie, c'est la femme, et l'Algérie, c'est le soldat. Le Maroc, c'est l'homme, parce que nous avons un roi. Le roi décide seul, pour le bien de tous ses sujets. C'est pourquoi on dit que le roi est le Père du Royaume, car il décide comme un père pour ses enfants.

— Et les Algériens ?

— Les Algériens n'ont pas de roi, ils sont tous égaux et ils perdent leur temps à se quereller. Ce sont des guerriers, ils sont toujours prêts à partir en guerre, ils cherchent toujours des raisons pour se battre et ils se disputent même entre eux pour savoir qui sera le chef.

Je défends quand même les mérites, au moins théoriques, d'un régime socialiste. Monsieur Diawa est un homme cultivé et sensé, et il veut bien admettre qu'il n'y a pas dans ces théories que de mauvaises choses. Il existe d'ailleurs, me dit-il, un parti communiste marocain, légalement constitué. Mais ses dirigeants ne sont pas fous, ils ne s'opposent pas à la monarchie, ils disent simplement que, quand le Maroc sera communiste, le roi devra lui aussi être communiste.

— Et les Tunisiens ?

— Oh, les Tunisiens… ils ne pensent qu'à s'amuser.

J'en conclus que c'est pour cela que la Tunisie tient le rôle de la femme dans cette parabole.

— Sans compter qu'ils font de très mauvais soldats, ajoute monsieur Diawa en souriant.

Oujda

Oujda. Je suis crevé, je prends la première chambre venue, elle est laide et trop chère. Toute la ville d'ailleurs est laide et trop chère, c'est ce que je constate en cherchant un restaurant. Après avoir mangé, je reviens à l'hôtel. Un jeune Marocain qui traîne dans le hall essaie d'engager la conversation. Je me méfie un peu. Il est en voyage, dit-il, il va voir des parents à Alger, il travaille à Ceutat, une enclave espagnole pas très loin d'ici. Il a de l'argent, il aime les femmes, boire, fumer. Il m'invite à l'accompagner en ville, et d'abord à fumer du haschisch dans sa chambre. Je me méfie encore.

Il me raconte une histoire. Il y a deux ans, il a rencontré dans un autocar un jeune qui voyageait, un Québécois, justement, tout comme moi. Le trajet était long, ils ont eu le temps de se parler, ils sont devenus amis. C'était l'époque où il faisait son service militaire, tout en poursuivant ses études. Ce jour-là, il était en civil, mais à l'école il devait porter son uniforme. Il l'avait avec lui, bien plié dans un sac à poignées, avec sa casquette pardessus, recouverte d'une pièce de tissu pour la protéger de la poussière. À un certain moment, le chauffeur doit freiner brusquement, le sac se renverse et la casquette roule par terre. Le Québécois, apercevant l'uniforme, s'imagine aussitôt qu'il a été trahi. Il a parlé de haschisch, il a parlé de prisonniers politiques, il a parlé du roi, trois sujets à éviter. Le Marocain essaie de lui expliquer qu'il n'est ni policier ni vraiment soldat, mais le Québécois ne veut rien entendre, il essaie même de descendre de l'autocar. Heureusement d'autres étudiants interviennent et les choses s'arrangent, le Québécois finit même par passer quelques jours de vacances avec lui. Morale de l'histoire ? Il ne faut pas se fier aux apparences, il faut faire confiance aux gens, quand on a confiance, les plus belles choses peuvent nous arriver.

Je me méfie toujours autant, mais j'ai de plus en plus envie de fumer.

Je me réveille tard, avec la tête dans un étau et peu de souvenirs de la soirée d'hier. Je suis de mauvaise humeur, le temps est encore nuageux, il fait froid et je regrette de ne pas être resté dans le Sud. En fouillant dans mes poches, je constate qu'il me manque un billet de vingt dirhams. Pris de panique, je vérifie si j'ai le reste de mon argent, mon passeport, mes chèques de voyage. Tout est là. J'essaie de me rappeler ce que nous avons fait. Nous sommes sortis boire un verre après avoir fumé dans sa chambre. Son haschisch était d'excellente qualité, léger et euphorisant, je me sentais très lucide et en même temps je déambulais dans un rêve, même la laideur des lieux me paraissait étrangement parfaite. Je ne me souviens pas de grand-chose, nous avons trouvé un petit bouiboui où nous avons bu de l'alcool et j'ai enfin été heureux pendant quelques heures.

La lumière du jour revenue, la ville a perdu sa magie. J'ai mal à la tête et l'estomac à l'envers. Je traîne longtemps avant de me mettre en route pour le poste-frontière, situé un peu en dehors de la ville. Pour économiser le coût d'un taxi, je choisis d'y aller à pied. J'aime marcher, mais la route est sans intérêt et plus longue que je n'avais prévu, et l'après-midi avance déjà quand j'arrive enfin à la frontière. Il y a devant moi toute une file de gens et chaque cas semble exiger de longues discussions. J'attends patiemment, soulagé de savoir que dans quelques heures je serai en Algérie. Mon tour arrive enfin. Le douanier me demande mes papiers, je lui tends mon passeport. Il veut voir mon visa. Je n'ai pas de visa. Mon ambassade m'a assuré que le passeport canadien suffisait. J'insiste sur le fait que je suis Canadien, que je viens du Canada, de ce grand pays fabuleux et apprécié de tous. Il ne veut rien entendre et me renvoie chercher un visa au consulat algérien, à Oujda.

J'enrage. Il est tard et le consulat va fermer bientôt. Je me résigne à prendre un taxi mais les taxis ne partent que lorsqu'ils ont fait le plein de passagers. Personne ne veut retourner avec un seul client. Je discute dix minutes avec un chauffeur. Il accepte finalement de me prendre pour le double du tarif habituel, payable d'avance, si je reviens ensuite avec lui. Je suis prêt à n'importe quoi pour partir d'ici, j'accepte. Tout est long. La circulation est dense, ânes, charrettes, motos et voitures pêle-mêle, nous arrivons au consulat dix minutes trop tard, tout est fermé jusqu'à lundi. Je paie le taxi et le laisse repartir et je reste là, complètement assommé.

Ridicule. Je ne sais plus du tout où aller et tout ce que je fais me paraît encore une fois parfaitement ridicule et je me moquerais volontiers de moi si je n'étais si malheureux. Ridicule cet arrêt à l'ambassade canadienne, à Rabat, puisque de toute façon je me suis fait refouler à la frontière. Ridicule d'avoir marché jusqu'à la frontière au lieu de prendre un taxi, ce qui m'aurait laissé le temps de revenir chercher un visa. Ridicule d'avoir marchandé dix minutes avec le chauffeur pour arriver dix minutes trop tard au consulat. Ridicule d'avoir à attendre deux jours ici, alors que je serais déjà en Algérie si...

J'ai l'impression que le mauvais sort s'acharne contre moi. Je n'ai aucune envie de rester dans cette ville, de dormir encore dans un hôtel sordide. Découragé, je décide de prendre le train et de retourner à Fez. Ça aussi, c'est ridicule. Ridicule de revenir sur mes pas, de refaire tout ce trajet à l'envers, mais tant pis si je suis ridicule, c'est un cas d'urgence, je sens la panique monter en moi à la simple idée de passer deux journées complètes à attendre dans ce bled perdu.

Sac sur l'épaule, je me dirige vers la gare quand je croise un jeune Américain à qui je demande à tout hasard s'il connaît un restaurant pas trop cher. Il me confirme ce que je pense : cette ville est un trou et il n'y a pas un endroit convenable où manger. Il s'appelle Steve et il est membre du Peace Corps, en stage ici depuis deux ans. J'en profite pour lui poser quelques questions d'ordre pratique — ce que c'est que cette histoire de visa, s'il y a une autre route pour traverser la frontière, où obtenir des dinars algériens, quoi faire ici pendant deux jours. Quand il comprend ma situation, il me propose une autre solution. Je pourrais venir ce soir à une fête chez ses amis et ensuite dormir chez lui, jusqu'à lundi si je veux, il habite une grande maison. Ce serait plus simple que d'aller à Fez. Ses amis seraient contents de me rencontrer, je serais leur deuxième visiteur ce mois-ci. Ils aiment bien accueillir les voyageurs de passage. Ils se sentent un peu isolés dans ce coin du Maroc, ça leur fait du bien, une petite bouffée d'Occident. Pour une fois, la chance me sourit.

Jerry

La fête a lieu chez Patrick, un Français que tout le monde appelle Pat. Nous devons bien être une trentaine, dont sept ou huit filles. La maison est grande, avec trois chambres à coucher et un jardin. Il y a du monde un peu partout. Nous buvons de la sangria, nous fumons du bon haschisch et je me sens bien, avec au moins l'illusion d'être entouré d'amis. Patrick est le seul Français du groupe, composé en majeure partie d'Américains mais qui compte aussi des Canadiens, des Australiens, des Anglais, et même un Japonais. La plupart d'entre eux travaillent pour différents organismes paragouvernementaux qui leur fournissent une résidence et leur versent un salaire. Il y a aussi quelques Marocains, les yeux brillants d'avoir bu un verre d'alcool. Je parle avec beaucoup de gens. Tout le monde veut connaître mes premières impressions du pays et tout le monde a envie de partager les siennes. Plusieurs sont là depuis un an ou deux. Ils ont des formations d'ingénieur, d'architecte, d'agronome, d'infirmier, ou bien ils enseignent l'anglais. Face à leur travail, face aux Marocains, face aux coutumes et aux façons de vivre du pays, ils réagissent différemment, s'y adaptant plus ou moins bien. Certains ont hâte de repartir. Je sens que beaucoup sont mal à l'aise parce qu'ils sont professeurs d'anglais, qu'ils ont de l'argent et qu'ils sont perçus comme des impérialistes. Il faut dire qu'ils parlent tous assez mal français, ce qui ne les aide pas à comprendre ce qui se passe autour d'eux.

Steve me présente Jerry, un grand Américain blond et bronzé aux cheveux bouclés tombant sur les épaules. À trente ans, Jerry est un des plus vieux du groupe ; il termine un séjour de trois ans au Maroc, il enseigne l'anglais quelques heures par semaine à l'université d'Oujda. On dirait plutôt un musicien rock. Torse nu sous son veston noir, foulard de soie noué autour du cou, il boit beaucoup, fume beaucoup, prend beaucoup de place. Profitant de la présence d'un petit groupe autour de nous, il se met à m'expliquer à sa façon la mission du Peace Corps et les raisons de sa présence dans la région. Le Peace Corps est un *front*, me dit-il, une couverture, un paravent. Officiellement, c'est un organisme de service civil dont le but est humanitaire, mais en réalité le Peace Corps constitue le bataillon avancé de l'impérialisme américain qui s'en sert pour imposer en douce la culture occidentale dans cette partie du monde arabe ; et il est d'autant plus efficace qu'il s'appuie sur la bonne volonté de jeunes Américains idéalistes et bien intentionnés qui ne se rendent absolument pas compte qu'ils sont manipulés. Il y a quelques rires et des murmures de protestation mais Jerry n'en a pas terminé.

— Qui d'entre vous pense vraiment que la civilisation arabe est supérieure à la nôtre ?

Court silence. Personne ne se manifeste.

— Il ne s'agit pas de ça, dit finalement quelqu'un.

— C'est la question que je pose, dit Jerry qui s'amuse et semble fort content d'avoir réussi à devenir le centre d'attention.

— Nous avons tous quelque chose à apprendre les uns des autres, intervient quelqu'un d'autre.

— La belle âme ! dit Jerry. Et qu'est-ce que vous avez appris ? À manger du couscous et à cuire des tajines ? Notre contrat ne dit pas que nous sommes venus ici pour apprendre mais pour enseigner, est-ce que ce n'est pas la preuve que nous considérons notre mode de vie supérieur ? Nous sommes venus apporter à ces gens les bienfaits de la démocratie et de la consommation de masse, parce que nous sommes convaincus que l'avenir de l'humanité passe par là. Nous ne sommes pas venus pour adopter leur mode de vie mais pour leur imposer le nôtre.

Il finit par atteindre son but et par créer un malaise parmi tous ces jeunes un peu déstabilisés par la réalité marocaine, qui se demandent sans doute parfois ce qu'ils font ici. Peut-être ont-ils aussi le désavantage de croire à l'altruisme de leur action. Jerry, lui, est parfaitement cynique, en tout cas c'est ce qu'il laisse entendre. Il n'a pas du tout la prétention de sauver qui que ce soit. Ces gens-là veulent apprendre l'anglais, il peut le leur enseigner, voilà qui avantage tout le monde. Pour le reste, tout cela lui paraît hors de son contrôle.

Un grand Noir à l'air nonchalant intervient avec un sourire. Je l'avais d'abord pris pour un Marocain du Sud, les Marocains du Sud ont parfois ce genre de traits, mais Russell vient du Colorado ; il est architecte et il est parfaitement convaincu de l'utilité de son travail. À Casablanca, dit-il, on rase les quartiers délabrés et on relocalise les gens dans des bidonvilles; ici, grâce au Peace Corps, on enseigne aux artisans des technologies nouvelles pour préserver les constructions existantes et le mode de vie traditionnel des habitants. C'est ça la différence entre l'humanitaire et l'impérialisme.

Jerry s'apprête à répliquer lorsqu'un homme d'un certain âge, très élégant dans son smoking, fait une entrée remarquée, une jolie fille à chaque bras. Le professeur Maddox est une célébrité locale. Arrivé au Maroc à dix-huit ans avec l'armée américaine, à la fin de la Deuxième Guerre, il n'en est jamais reparti. C'est un excentrique très cultivé qui enseigne la philosophie grecque, et particulièrement la logique aristotélicienne, à l'université d'Oujda. Les deux beautés qui l'accompagnent sont des prostituées de luxe, m'explique Steve discrètement, un luxe à cent cinquante dirhams la nuit mais, à ce prix-là, elles peuvent aussi chanter, danser et faire la cuisine. Elles se mettent d'ailleurs aussitôt à préparer des plateaux de hors-d'œuvre, de fruits et de pâtisseries. Là-dessus la sono se met à déverser le dernier succès de Pink Floyd et la conversation se perd dans les cris et le bruit. Quelques filles se mettent à danser. Je m'installe à l'écart sur un divan et m'abandonne à la douceur du moment.

Je ne sais pas depuis combien de temps je plane, heureux comme un roi, lorsqu'un changement dans l'atmosphère attire mon attention. Jerry, qui commence à être saoul, s'est lancé dans un grand discours, déclarant que l'époque du «Peace and Love» est révolue, qu'il en a assez de porter les cheveux longs, et qu'il lui faut une coupe plus adaptée aux temps guerriers que nous vivons. L'une des « amies » du professeur est aussitôt choisie comme coiffeuse et Jerry disparaît avec elle dans la salle de bains transformée en salon de barbier.

Bien calé dans mon coin, j'écoute un coopérant qui paraît troublé par la mésaventure qu'il vient de vivre. Il arrive de Casablanca, où il a dormi chez une famille qu'il connaît depuis deux ans, à qui il apporte toujours des cadeaux, de l'argent, de la nourriture. Quand il s'est réveillé, son portefeuille avait disparu. Tout le monde proclamait son innocence. Pourquoi l'auraient-ils volé, lui, leur bienfaiteur ? Il lui a bien fallu admettre qu'un voleur s'était introduit dans la maison au cours de la nuit, mais il n'a toujours pas l'air très convaincu. Tout le monde soupèse les possibilités.

— Tu l'as peut-être oublié ailleurs, suggère quelqu'un.

— Impossible, je l'avais quand je me suis couché.

— Peut-être que leur histoire est vraie, peut-être un voleur…

— Un voleur qui aurait su que j'étais là, et dans quelle chambre ?

— Un voleur bien informé, alors, peut-être un voleur qu'ils connaissaient, un voisin qui a entendu dire que tu venais…

— Vous voyez bien qu'il ne faut jamais se fier à personne !

Jerry vient d'apparaître sur le seuil de la pièce, méconnaissable, le crâne rasé, pareil à ces milliers de jeunes recrues américaines dont on voit régulièrement la photo dans les journaux. La transformation est étonnante. Droit et raide comme un militaire, il explique d'une voix posée :

— Maintenant que ma mission est terminée, permettez-moi de me présenter : sergent Jerry O'Brien, de la CIA. Je rentre à Washington demain. Nous avons découvert qu'il y a un espion parmi vous.

Personne ne le croit, bien sûr, mais... Le climat de suspicion est si fort ici qu'on se surprend bientôt à ne plus être sûr de rien. Il y a toujours un doute. Jerry, amusé, observe les réactions.

Saïda

Le lendemain, c'est samedi, je suis invité à passer la fin de semaine à la campagne. Tous ces gens ne sont pas en vacances, je l'avais oublié. Ils enseignent, ils travaillent et ils aiment bien profiter de leurs jours de congé pour se changer les idées. Comme il n'y a pas grand-chose à faire à Oujda, ils se sont mis à quelques-uns pour louer une villa à Saïda, sur la côte, tout près de la frontière algérienne.

◈

Le temps s'est mis au gris peu après notre arrivée. Je me suis installé pour lire sur la plage mais il fait plutôt frais, même avec un gros chandail. J'abandonne mon livre et je pars marcher le long de la mer. Je suis seul. Je regarde souvent autour de moi, étonné de ne voir personne. Depuis mon arrivée au Maroc, c'est la première fois que je ressens cette liberté — marcher dehors sans être observé, épié, jugé en permanence par dix, vingt, cent regards curieux et souvent hostiles. C'est agréable de pouvoir se promener sans entraves, de ne pas se sentir surveillé, de ne pas avoir l'impression d'empiéter sur le territoire de quelqu'un d'autre. Je marche longtemps, en flâneur, ramassant des coquillages, lançant des cailloux dans la mer, jusqu'à ce que je bute contre un obstacle inattendu : de gros rouleaux de barbelés gris qui traversent toute la plage, partant du pied de la falaise et s'avançant jusque loin dans la mer. La frontière. Des affiches en trois langues ordonnent de faire demi-tour. De l'autre côté, à travers plusieurs rangées de rouleaux identiques, je peux voir l'Algérie, la plage qui continue, une plage en tous points semblable, qui mène sans doute à des maisons semblables, à un village semblable. En haut de la falaise, deux soldats, fusil à l'épaule, m'observent. Je reviens sur mes pas.

Les heures passent tranquillement, comme un vrai weekend à la mer, une vraie fin de semaine au chalet. Nous lisons, nous écoutons de la musique, nous allons marcher dans les environs durant les éclaircies entre les averses nombreuses.

Le dimanche après-midi, nous prenons le thé tous ensemble. Nous avons déjà fumé quelques joints. À mesure que la conversation avance, chacun se dévoile un peu plus. Tout le monde se plaint qu'on ne peut faire confiance à personne et je m'aperçois en parlant avec eux que cette paranoïa concerne aussi la politique. Tous, ils se méfient, ils s'attendent à un coup d'État, une révolte populaire. Quand ? Bientôt sans doute. Pourquoi ? Rien de précis, ça se sent, c'est dans l'air, une mauvaise vibration. Trop de mécontentement, partout. Trop de corruption. Trop d'abus, de profiteurs, impossibles à dénoncer à cause de la censure. Trop de censure. Les journaux ne disent rien et impossible de savoir ce que pensent vraiment les Marocains. Tout le monde se méfie, personne ne parle.

Jerry encore une fois voit les choses d'un autre œil. La paranoïa est un réservoir d'énergie, prétend-il. La peur n'est qu'un signal. Il ne faut pas en rester là. La peur recèle une énergie puissante, le danger permet de rester en alerte, de ne pas se perdre en pensées oiseuses, de demeurer vif et vivant, toujours à l'affût, prêt à saisir ce qui se passe à chaque instant. Nous avons besoin d'ennemis, de prédateurs, sinon nous réfléchissons trop et notre cerveau n'est pas fait pour ça, il est fait pour nous permettre d'agir et de réagir. Un peu lassés de ses discours, les autres le laissent parler. Et puis aujourd'hui, c'est dimanche.

Plus tard, alors que nous buvons un verre sur la terrasse, Jerry m'explique son besoin de provoquer les gens.

Chacun de nous joue un rôle, dit-il. Il y a toujours une distance, un espace entre ce que nous sommes vraiment et ce que nous faisons. Quand on demeure conscient de cet espace, on peut rester à distance de soi, devenir son propre personnage, entrer et sortir de son rôle à volonté. On devient un acteur, on ne se laisse pas prendre au jeu. Tout le monde peut le faire. Lui, il joue à provoquer, il en est bien conscient, mais c'est son rôle. Il le joue du mieux qu'il peut. En provoquant les gens, il les aide à prendre conscience de cette distance entre le personnage qu'ils jouent et ce qu'ils sont vraiment.

Je l'écoute en me demandant quel rôle je dois jouer là-dedans. Je sais qu'il me prend pour un écrivain et un voyageur, mais je ne me sens ni l'un ni l'autre et je ne trouve rien d'intelligent à répondre, alors j'abonde dans son sens, je dis que jouer un rôle, finalement, c'est la seule façon d'être ce qu'on est.

— Tu as tout compris, dit Jerry.

En réalité, je n'ai rien compris, j'ai seulement fait semblant. Est-ce que c'est cela aussi, jouer un rôle ?

Chère Angèle, qu'aurais-tu répondu à ma place, tout cela était si clair avec toi, tu ne jouais jamais de rôle, tu étais faite comme ça. Avec toi, il n'y avait pas de distance, il n'y avait pas de spectacle ni de spectateurs, c'était toujours la vie et rien d'autre. Chère Angèle, moi, je n'ai jamais rien compris au théâtre, tu le sais, j'y croyais toujours, j'étais jaloux de cette vie imaginaire que tu vivais, j'étais jaloux de tous ces Don Juan qui t'embrassaient, je souffrais dans mon rôle de spectateur et si tu rentrais tard après la répétition je ne savais jamais si la pièce était terminée ou si tu jouais encore et, théâtralement, je voulais mourir.

LE DOUANIER ALGÉRIEN me demande ce que je fais dans la vie. Il n'a pas l'air de vouloir rigoler. Je réponds sans trop de conviction: «Écrivain.» Je trouve ça un peu prétentieux parce que je n'écris pas beaucoup, mais je n'ai pas d'autre travail et c'est ce qui me paraît le mieux résumer ce que j'essaie de faire de ma vie. Il me demande ce que j'écris. Sa question me prend par surprise, j'ai envie de répondre: «Des livres, des livres avec assez de pages pour pouvoir mettre une couverture autour et mon nom dessus.» Mais je ne suis pas sûr qu'il comprenne mon sens de l'humour et pour éviter de compliquer les choses, je réponds prudemment: «De la fiction, des livres de fiction.» Je le regarde écrire sur la fiche qu'il est en train de remplir: *Écrivain de science-fiction*. Et que vient faire cet écrivain de science-fiction en Algérie? Je ne le sais pas encore. J'arrive du XXe siècle, j'ai commencé à remonter le cours du temps lorsque j'étais au Portugal, il y a eu un tremblement de terre, j'ai emprunté un passage souterrain ; j'étais déjà perdu et je me suis perdu à nouveau en me téléportant au Moyen Âge, de sorte que je ne sais plus du tout où j'en suis. Mais je voudrais voir le M'zab, au milieu du désert, dont on m'a vanté la beauté, et ensuite continuer vers le sud, très loin, jusqu'en Inde. C'est de la science-fiction, non ?

Une fois passé le poste-frontière, j'essaie de faire du stop, puis je me résigne à prendre l'autocar. À mon grand étonnement, c'est un autocar moderne, propre et confortable. Les bagages sont rangés dans la soute à bagages, les passagers assis chacun à sa place. Il n'y a pas de resquilleurs, pas de musiciens, de conteurs, d'hurluberlus, même pas de mendiants ; par contre, en cours de route, nous sommes arrêtés cinq fois pour des contrôles de police.

Nous arrivons à Alger à la tombée de la nuit. Toutes les rues se ressemblent, tous les magasins aussi, dissimulés derrière leur rideau de fer. Toutes les inscriptions, tous les noms sont écrits en arabe. Je ne sais même pas reconnaître le mot « hôtel ». Du français, il ne reste que quelques traces, ici et là, sur de vieilles affiches qui s'effacent lentement. Je n'ose pas trop m'éloigner du terminus qui me sert de point de repère et je tourne en rond comme si je m'étais égaré sur une planète inconnue.

Voyant que j'ai l'air perdu, un jeune garçon sympathique s'approche et offre de m'aider. Je me méfie beaucoup des jeunes garçons sympathiques qui veulent m'aider mais je n'ai pas vraiment le choix. J'ai besoin de trouver une chambre pour la nuit. Il s'appelle Sadek. Il parle plutôt bien français. Son prénom, m'explique-t-il, signifie «celui qui dit vrai, celui à qui on peut se fier». Ma méfiance augmente d'un cran. J'aurais préféré continuer à croire que c'était un prénom d'extraterrestre.

Autour du terminus, il y a beaucoup de petits hôtels mais ils affichent tous complet. En fait ces hôtels, m'explique Sadek, abritent plus de résidents permanents que de voyageurs. Ce sont des travailleurs venus du Sud ou des pays voisins, des Sénégalais, des Maliens, des Nigériens, des Tchadiens, parfois je les aperçois un instant assis dans le hall, dans leurs beaux habits colorés, les yeux rivés sur le poste de télévision, l'air hagard, lointains, absents, déracinés. Mais nous n'avons pas le temps de nous attarder et Sadek m'entraîne à sa suite dans des ruelles qu'on voit à peine et frappe à des portes qui ne ressemblent pas à des portes d'hôtel, où on lui suggère d'autres adresses, et juste au moment où je commence à ne plus y croire, il finit par me dénicher une chambre. Je suis si soulagé et content que je lui tends avec plaisir un billet de dix dinars, avec l'impression, pour une fois, d'en avoir eu pour mon argent, prêt même à négocier jusqu'à quinze.

Sadek est insulté. Pas par la somme que je lui propose mais par mon offre elle-même. Insulté que j'aie pu croire qu'il m'accompagnait pour de l'argent, alors qu'il pensait que nous avions un rapport d'amitié, d'égal à égal. Il ne veut pas de mes dinars. Il n'est pas à vendre. Il part, fâché, sans me laisser le temps de réagir, et s'en va sans se retourner. Je m'en veux, j'ai été stupide, je comprends exactement ce qu'il peut ressentir. Je lui cours après et je m'évertue à lui expliquer que c'est un malentendu, que j'arrive du Maroc, que là-bas c'est la coutume, qu'il faut toujours offrir un pourboire, que ne rien donner est très mal vu. Il a peine à le croire. «Celui qui accepte de l'argent pour un service n'est pas digne d'être un homme», me déclare-t-il solennellement. Lui, il est Kabyle, et pour les Kabyles l'étranger est sacré, on doit toujours l'accueillir comme un ami.

Je regrette de l'avoir aussi mal jugé et je l'invite à souper avec moi. Nous faisons le tour du quartier, à la recherche d'un restaurant, mais tous les restaurants sont fermés. Il n'est pourtant que neuf heures. Je suis déçu, j'aurais aimé partager un repas avec lui. Nous revenons sur nos pas et Sadek me prend par le bras, tout naturellement, comme le font les gens ici lorsqu'ils raccompagnent un ami.

Al Djazaïr

Le lendemain, je cherche un plan d'Alger. Il n'y a pas de plan d'Alger, c'est ce que m'explique le préposé à l'information de l'hôtel. Alger n'existe plus, nous sommes maintenant à Al Djazaïr. On a arabisé toutes les plaques de rues l'année dernière et depuis on attend l'autorisation pour imprimer les nouveaux plans. Je me promène donc un peu au hasard dans un beau quartier plein de grandes villas blanches et de palmiers. Personne ne m'aborde pour me vendre ou me quêter quelque chose et je peux aller et venir librement. Grâce aux indications qu'on me donne, je parviens à trouver l'ambassade canadienne pour m'y rapporter, comme on m'a conseillé de le faire à Rabat. Dans la salle d'attente, je feuillette les journaux de la semaine dernière. Tout le Québec est en ébullition. On ne parle que du référendum. Je n'ai pas le temps de lire les nouvelles du hockey, on me fait signe de passer dans le bureau d'un jeune fonctionnaire à qui j'explique mon projet de descendre vers le sud pour voir le M'zab, puis de continuer jusqu'en Lybie. Le M'zab mérite d'être vu, mais il ne pense pas que je puisse ensuite aller plus loin que Ouargla, le service d'autocars s'arrête là, après c'est le désert, la caravane ou l'expédition, et tout ça se prépare à l'avance, il n'y a aucune infrastructure touristique. De plus, le pays est en plein bouleversement et la prudence est de mise.

Il prend en note mon nom et mon numéro de passeport, puis me présente un homme d'affaires qui s'en va au centre-ville et accepte de m'y déposer. Vue de sa grosse Peugeot, Alger est magnifique, dominant le port et la baie. Nous roulons entre de beaux immeubles de style européen, aux façades de stuc blanches et aux balcons de fer forgé, comme sur la Côte d'Azur. Je lui fais part avec enthousiasme de mes premières impressions. Tout ici me semble plus efficace, plus moderne, mieux organisé qu'au Maroc. Les gens me paraissent plus dignes et j'apprécie jusqu'aux politiques d'arabisation, même si elles me rendent la vie plus compliquée. J'aime que les Algériens se soient pris en main, quitte à choquer tout le monde en reléguant la langue française au passé avec l'exploitation coloniale et le capitalisme. Mon chauffeur n'est pas Arabe, c'est un Berbère, il vient de Kabylie lui aussi. Il refroidit rapidement mes ardeurs en me parlant de la montée de l'intégrisme religieux, des tensions entre Arabes et Berbères, des manifestations pour la reconnaissance officielle de la langue tamazight. Le socialisme est une chose, me dit-il, la dictature en est une autre. Je ne sais pas quoi répondre. J'ignorais l'existence de cette langue, de cette culture occultée, étouffée, menacée de disparaître. Il me dépose boulevard Che-Guevara.

Le M'zab

Alger coûte cher et j'ai de moins en moins d'argent. Il n'est pas question de m'en faire envoyer ici ; à cause du régime en place et de ses tracasseries, cela prendrait des semaines, c'est ce qu'on m'a dit à l'ambassade et on me l'a confirmé à la banque et au bureau de poste. Tout ça me prend un peu au dépourvu. Il me reste suffisamment de chèques de voyage pour continuer deux ou trois semaines, mais ensuite ? J'ai chargé un ami de Québec, où je vivais l'année dernière, de me faire suivre une somme qu'on me doit encore. Le plus sage serait sans doute de lui téléphoner et de lui demander de m'envoyer cet argent à Tunis, mais cela voudrait dire que j'abandonne tout espoir de trouver une route vers l'Inde en passant par la Lybie. J'hésite, je ne sais plus, je change d'idée tous les quarts d'heure. Je finis par me décider à appeler. Je marche jusqu'à la poste, je fais la queue, j'obtiens des jetons, j'attends qu'une cabine se libère, je compose un tas de chiffres. Une téléphoniste m'annonce que « le service avec le Canada ne fonctionne pas pour le moment ».

L'autocar pour le M'zab part à quatre heures du matin. Il traverse d'abord une chaîne de montagnes, puis une grande plaine herbeuse qui au bout de quelques heures devient de plus en plus désertique à mesure que nous descendons vers le sud. Ce n'est pas un désert de sable, plutôt un interminable champ de roches, un paysage indéfiniment horizontal, sans intérêt et sans beauté. Nous roulons tout le reste de la journée à travers ce panorama lunaire, hostile, où rien ne pousse, où rien ne vit, où l'on devient peu à peu indifférent à tout, où l'on a envie de se laisser mourir, de rejoindre ces squelettes de dromadaires ou de chevaux, nettoyés et blanchis, qui luisent doucement sur le bord du chemin. Puis, sans avertissement, au beau milieu de tout ce vide, la route se met à descendre et s'enfonce sous le niveau du désert dans une sorte de canyon profond et vaste au fond duquel se trouve une grande palmeraie, verdoyante et animée, avec des hommes, des femmes, des enfants, de l'eau, des ânes, des chevaux, des routes, et cinq villages étranges, chacun dominé par un minaret, qui surgissent du sol comme de gigantesques termitières, comme cinq châteaux de sable, cinq tours de Babel s'élevant vers le ciel. C'est le M'zab.

De loin, chacun des villages ressemble à une ville fortifiée, encerclée d'un mur, s'élevant en s'enroulant autour de son centre. Quand on y pénètre, c'est un enchantement, un pur ravissement. La rue principale est en pente et forme un long corridor qui s'élève en tournant jusqu'au minaret qui couronne le village. J'ai l'impression de m'enfoncer dans la coquille d'un escargot géant. À gauche, à droite, toutes sortes de petites ruelles, des entrées privées, des passages compliqués et secrets, des couloirs obscurs, des tunnels, comme si le village avait été creusé tout autant qu'édifié. Tout est doux, rond, arrondi, il n'y a pas d'angles droits, pas d'arêtes tranchées, de lignes nettes. Les couleurs s'emmêlent avec bonheur, des jaunes, des ocres, des roses, des bleus surtout, allant du mauve pâle au turquoise. Les femmes que je croise sont toutes enveloppées du même voile blanc qui les recouvre entièrement, du sommet de la tête jusqu'au bout des pieds, cachant tout leur visage dont on ne peut apercevoir qu'un seul œil, comme l'œil de Dieu, au centre d'un triangle de tissu. Les petites filles sont jolies, elles portent des vêtements colorés, leurs cheveux sont tressés en une natte unique recouverte d'une gaine de tissu. Les petits garçons ont tous le crâne rasé et d'étranges pantalons qui leur pendent entre les jambes, plus bas que les genoux. J'ai vraiment l'impression d'être ailleurs, dans une autre dimension du temps, un monde parallèle, un village bâti par des esprits non cartésiens.

Au sommet du village se dresse le minaret. Pas moyen d'aller plus loin. La rue se termine là, dans un élargissement qui forme une sorte de terrasse protégée par un muret. J'aimerais monter au sommet du minaret mais, devant la mosquée, deux vieux à barbe blanche enveloppés dans leur djellaba, appuyés sur leur canne, m'arrêtent bien poliment et me font comprendre que je ne peux aller plus loin. Le reste est réservé aux fidèles.

Chère Angèle, je voudrais que tu sois ici, je n'ai jamais rien vu d'aussi beau, même pas ces villages grecs que tu aimes tant, je ne me lasse pas de cette architecture sensible, mobile, fluide, empreinte de la douceur, de la mollesse de ce qui est vivant, organique, incertain ; une architecture sans logique apparente, obéissant aux lois d'une géométrie invisible, une architecture à la cohésion parfaite, fragile, stupéfiante, une sorte de prière ou de méditation.

Ouargla

Quand je reprends l'autocar pour Ouargla, deux jours plus tard, le temps est nuageux et il vente. Peu après le départ, une violente discussion éclate entre deux passagers. Je ne comprends pas trop ce qui se passe, il est question d'un billet déchiré, la dispute dégénère en engueulade et on en vient même à échanger quelques coups avant que le chauffeur ne décide de prendre les choses en main et d'arrêter l'autocar au milieu du désert pour calmer les esprits. Personne n'a envie de descendre, les choses se tassent et on repart, mais l'atmosphère tout au long du voyage s'en ressent.

Mes problèmes d'argent ne cessent de me trotter dans la tête. Je ne vois pas trop comment je vais pouvoir m'en faire envoyer avant d'arriver dans une grande ville, et les grandes villes sont rares. Je n'avais pas prévu que les communications seraient si difficiles. Je ne réussis pas à rejoindre mon ami de Québec. Les rares appels téléphoniques que j'ai pu placer, généralement après des heures d'attente, n'ont donné aucun résultat. Je me sens de plus en plus isolé.

Par la fenêtre, il n'y a rien à voir. Nous roulons au milieu de rien, un paysage vide qui se répète pendant des heures et des heures. Apparaissent finalement au loin les torches des oléoducs de Ouargla, minuscules et un peu ridicules avec leur flamme orange à peine visible dans cette immensité écrasée de soleil. Il faut rouler encore longtemps pour les atteindre, puis rouler encore à travers un interminable dépotoir de déchets calcinés qui borde la route pendant des kilomètres avant de rejoindre la ville, qui n'est en fait qu'un gros village, une ville champignon avec des rues rectilignes et trop larges, des maisons sans étage, sans attraits et où tout semble à moitié fini.

Je quitte le terminus avec mon bagage sur l'épaule. Il vente et j'ai bientôt le visage et les vêtements recouverts d'une fine poussière de sable. Il n'y a pas beaucoup d'hôtels. J'aboutis finalement dans une chambre laide, climatisée et pourvue d'un mini-bar comme une chambre de motel américain. Au restaurant, je bois un thé, la bière est hors de prix, je prends quelques notes et je recalcule mon budget. Les autres clients sont tous en groupes, Allemands, Français, Italiens, Japonais, ils dépensent beaucoup d'argent, ils parlent fort, ils rient, ils sont bien équipés, ils se préparent à prendre le Sahara d'assaut avec leurs 4 × 4. Ça ne va pas du tout.

Chère Angèle, ça ne va pas du tout. Je t'écris d'une plateforme pétrolière surnageant au milieu d'une mer de déchets et de sable mort. Tout coûte cher, tout est laid, tout est envahi par le plastique et la musique disco. Nous sommes au pays de l'or noir, de l'or puant, gras et sale, à mille lieues de toute région habitée, et j'ai l'impression d'assister à la fin du monde. Totalement intoxiquée, notre civilisation pompe ce sang noir dans ses veines et personne ne veut la paix, j'ai l'impression d'entendre le monde entier crier : « Vive le pétrole ! Vive le plastique ! Vive le disco ! Vive la guerre ! »

Par où continuer maintenant ? Je n'y arriverai jamais. Tout est trop immense. Je regarde la carte, je ne sais pas quoi faire. Je ne sais pas trop non plus auprès de qui me renseigner, les bureaux d'information sont inexistants et les rares voyageurs à qui j'ose poser des questions n'ont jamais entendu parler d'un itinéraire aussi saugrenu que le mien pour se rendre en Inde. Chose certaine, le désert, ce n'est pas pour moi. Inutile de penser continuer vers le sud. Je ne suis vraiment pas préparé. Il me reste deux possibilités : la plus simple, remonter directement à Tunis et m'y faire envoyer l'argent que j'attends, ou la plus risquée, traverser la frontière du côté d'El Oued, descendre vers la Lybie et espérer trouver un bateau en Égypte qui m'amènerait jusqu'en Inde, sans trop savoir quand je pourrai renflouer mes affaires. Je décide de tenter ma chance de ce côté.

Sac sur l'épaule, je me dirige vers la sortie de la ville. Toujours ce vent de poudrerie et ce sable qui s'infiltre partout. Les maisons se font plus rares, la rue devient peu à peu une route. Je m'installe pour faire du stop à un carrefour, près d'une pancarte qui indique El Oued. Un garçon d'une douzaine d'années, le front bas, l'air débile, s'approche aussitôt de moi. Il tient un bébé dans ses bras qu'il me tend en répétant sans arrêt la même phrase que je ne comprends pas. Il m'énerve, c'est physique. J'ai peur qu'il me mette son bébé dans les bras et se sauve en courant. Je lui donne un peu d'argent, il le prend mais il reste là, à quelques centimètres de moi. Je marche un peu pour m'éloigner, il me suit, recommence à répéter sa phrase, se colle à moi dès que j'ai le malheur de m'arrêter. Je m'éloigne un peu plus; il me suit encore. Heureusement, un camion militaire s'approche et s'arrête à ma hauteur. Par la fenêtre, un jeune soldat sympathique m'explique que je perds mon temps à faire du stop ici, qu'il ne passe presque pas d'automobiles et que personne ne me fera monter de toute façon. Je ne suis pas difficile à convaincre, je ramasse mon bagage et je me dépêche de revenir au terminus.

L'heure des départs approche, il y a foule, personne ne fait la queue et tout le monde se rue en même temps sur les trois caissiers installés derrière l'unique comptoir. Nous sommes entassés, serrés les uns contre les autres, ça tire et ça pousse dans tous les sens. Seul Blanc au milieu de cette cohue, je ne me sens pas à l'aise, ils sont chez eux, je suis en voyage, et ils ont sans doute de meilleures raisons que moi d'être pressés de prendre cet autocar; mais la perspective de rester une autre nuit à Ouargla me remplit de panique, je ne veux pas laisser passer ma chance de sortir d'ici et je joue des coudes moi aussi pour ne pas perdre ma place. Des dizaines de bras sont tendus tout autour de moi et tout le monde crie le nom de sa destination en même temps. Deux des caissiers m'ignorent ouvertement. Je réussis à accrocher l'attention du troisième, je crie El Oued aussi fort que je peux et je me sauve avec mon billet, me sentant un peu coupable de prendre la place de quelqu'un d'autre.

En attendant que l'autocar arrive, je rencontre un Néo-Zélandais qui voyage seul. Il ne parle pas un mot de français. Je vois dans son regard qu'il est totalement paniqué. Il me demande si je peux lui recommander un hôtel dans les environs. Je lui recommande plutôt de ne pas rester dans ce trou. Nous retournons au guichet d'où la foule a mystérieusement disparu, il achète un billet sans problème, puis nous prenons l'autocar ensemble pour El Oued. Il s'appelle Chris, j'ai peine à comprendre ce qu'il dit à cause de son accent. De toute façon, il n'a pas l'air beaucoup plus intéressant que moi.

Le désert change beaucoup ; parfois il y pousse des touffes d'herbe, parfois il est tout plat et comme recouvert d'une croûte dure, je pense que c'est ce qu'on appelle des *chott*, des sortes de lacs salins desséchés ; parfois encore il est conforme à l'image d'Épinal qu'on s'en fait : une succession de dunes ondulées. Plus nous approchons d'El Oued, plus le paysage ressemble à ça, à peine quelques traits ici et là, déplacés par le vent comme des bancs de neige, un paysage abstrait où il n'y a rien à voir et que je ne me lasse pas de regarder.

El Oued

El Oued. Il y a une foire en ville. Nous partons, Chris et moi, à la recherche d'un hôtel. Le premier que nous trouvons est fermé, le deuxième complet et le troisième trop cher. Nous marchons jusqu'à un quatrième où il ne reste qu'une chambre, à quatre lits, que nous partageons avec deux Algériens. La chambre pue, les deux Algériens m'énervent avec leur façon de se prendre pour des Américains. Nous sortons manger. Tout est bruyant, tout me tombe sur les nerfs. Les restaurants sont très chers, les gens peu accueillants, et à sept heures du soir tout est fermé. Nous revenons à la chambre et nous fumons un joint, le Néo-Zélandais et moi. Je ne comprends rien à ce qu'il me raconte, son accent me déconcerte. Il dit qu'il pense venir au Canada «*my be neck sheer*». Je lui fais répéter, rien à faire, j'abandonne. Je mets un peu d'ordre dans mes affaires. Tout mon linge est sale, ça m'ennuie.

Je viens de comprendre: «*Maybe next year*»! Il viendra peut-être l'an prochain. Nous allons pouvoir reprendre la conversation.

Réveil en fanfare ce matin. Ça commence par les coqs, qui crient comme des imbéciles dès que le soleil se pointe le nez, puis les ânes avec leurs horribles hennissements de soufflets troués, puis la circulation, les motocyclettes, les autobus, les coups de klaxons, les bruits de pétards, les cris. Je me lève et je vais faire un tour à la foire, sur la place du marché, un très grand square plat, en terre battue, entouré de bâtiments bas. La place est envahie par les étals de centaines de marchands, sortes d'abris ou de tentes provisoires faites de quelques bouts de bois soutenant un pan de toile grisâtre. À chaque étal, accroupis, des hommes au visage sombre, vêtus de vêtements sombres, discutent, attendant patiemment, entourés d'animaux pêle-mêle, ânes, mulets, chèvres, entravés, attachés étroitement les uns aux autres, et partout les mêmes marchandises, des jeans, des djellabas, des sandales, des babouches, des montres en or, des boussoles, des gamelles, des couteaux, des canifs, des lunettes de soleil, des pièces de rechange : bougies, filtres à huile, phares, jantes de roues, bidons d'essence. La même scène se répète dix fois, vingt fois, cent fois, comme dans un kaléidoscope. Parmi cet encombrement circule une foule mouvante d'acheteurs plus ou moins intéressés sur laquelle des porte-voix accrochés au bout de poteaux malingres déversent en crachotant une musique nasillarde. Le temps est couvert et finalement toute cette foire n'a rien de joyeux, l'atmosphère est plutôt lourde, déprimante, oppressante. Peut-être est-ce la présence de ce désert mort tout autour de nous.

Je reviens à l'hôtel. Assis à la terrasse, deux motocyclistes allemands, vêtus de cuir de la tête aux pieds, l'un tout en noir, l'autre tout en rouge, observent tout cela d'un air désabusé en buvant une bière. Je parle un peu avec eux. Ils arrivent de Tunisie. Ils partent demain pour le Tchad, ils vont traverser le Sahara du nord au sud. Mauvaise nouvelle pour moi : la frontière près de Gafsa, où je pensais traverser demain, a été fermée juste après leur passage. Il y aurait eu des troubles, une tentative de coup d'État. Deux soldats passent à ce moment-là dans la rue, mitraillette en bandoulière, se tenant par la main comme deux écoliers. Mes amis allemands leur font signe. Non, ils ne savent pas grand-chose, la situation n'est pas très claire, les rumeurs parlent de quelques morts. Oui, plusieurs postes frontières sont fermés et je devrai remonter vers le nord, jusqu'à Tebessa, pour traverser en Tunisie.

Je suis contrarié mais au moins maintenant les choses sont claires. Avec ce nouveau détour qui m'éloigne encore de la Lybie, je n'ai plus le choix. Je vais avoir besoin d'argent et Tunis est maintenant la seule grande ville sur mon chemin où m'en faire parvenir. Je décide de téléphoner à mon ami à Québec. « Le service avec le Canada ne fonctionne pas pour le moment. » Je réfléchis un peu à ma situation et j'envoie un télégramme, malgré le coût exorbitant. J'espère que ça va fonctionner, parce que maintenant j'ai encore moins d'argent.

J'attendais depuis longtemps l'occasion de marcher dans le vrai désert, dans les dunes de sable. Ici, la ville en est entourée, mais il faut d'abord traverser les faubourgs pour y parvenir. Je n'ai pas de carte, j'y vais à l'instinct, en me guidant sur le soleil. Je marche longtemps, dans un désert plus ou moins désert et très sale, avec quelques maisons ici et là parmi une suite de petites oasis en forme d'entonnoir, comme des cratères dans le sol, avec au fond des eaux croupies, deux ou trois palmiers, quelques vieux pneus, des boîtes de conserve.

Je continue encore un peu et j'arrive finalement aux premières belles dunes mais, comme je m'en approche, une dizaine de petits garçons, qui doivent avoir entre huit et douze ans, surgissent de nulle part et se mettent à me lancer des pierres. De loin, j'essaie de parlementer avec eux mais ils continuent de s'approcher et les roches, parfois assez grosses, tombent de plus en plus près de moi. Je ne sais pas s'ils iraient jusqu'à me lapider à mort, mais ils sont assez nombreux et ils avancent rapidement. Je ne prends pas de chance et je me sauve en courant devant cette bande de gamins. Je me sens complètement ridicule et je suis obligé de faire un long détour pour revenir vers la ville.

En route, je finis quand même par trouver ce que je cherchais, le vrai désert. Les dunes sont beaucoup plus hautes que je ne pensais. Il faut grimper longtemps pour arriver au sommet et on s'enfonce dans le sable à chaque pas. Après en avoir gravi quelques-unes, je m'arrête pour regarder tout autour. Debout, je vois encore les faubourgs de la ville, mais quand je m'assois il n'y a plus que le désert, le désert sans fin, avec le vent qui soulève le sable sur les crêtes des dunes et le déplace pour transformer le paysage en un paysage toujours semblable, tellement vide, tellement immense que j'ai envie de m'y perdre, de continuer encore, plus loin, sans m'arrêter, jusqu'à ce que la nuit vienne et qu'il soit trop tard pour revenir. Pas par découragement, mais parce qu'il est là. Parce qu'il représente la nature énorme, immense, devant laquelle on a envie de disparaître, dans laquelle on a envie de se fondre, en oubliant sa propre identité.

À deux pas de moi, j'aperçois tout à coup un petit scorpion dans le sable et j'ai un mouvement de recul. En regardant mieux, je vois qu'il s'agit en fait de deux scorpions, l'un installé sur l'autre, la queue retroussée, l'enserrant dans ses pattes. Des scorpions qui baisent en plein désert, quelle idée. Je reviens vers la ville, obsédé par cette image.

Je passe une nuit éprouvante. Malade, je me lève six ou sept fois pour vomir, des vomissements douloureux, comme si mon organisme se révulsait au complet, comme s'il cherchait à se vomir lui-même. J'ai la diarrhée et toutes les demi-heures je cours aux toilettes à pédales situées au bout de l'étage en espérant qu'elles ne soient pas occupées. Je passe en revue ce que j'ai mangé depuis quelques jours pour savoir ce qui a bien pu me rendre malade. Couscous, spaghettis, pois chiches, patates, la seule idée de tous ces plats me soulève le cœur.

◈

J'ai soif, je meurs de soif. Réveillé depuis cinq heures, je suis seul dans la chambre, le Néo-Zélandais est parti comme prévu très tôt ce matin. Il m'a dit au revoir avec un brin d'anxiété, après s'être assuré que je survivrais, que je n'étais pas à l'article de la mort. Je le comprenais de vouloir s'en aller et ne pas rester une journée de plus dans ce trou perdu. Il m'a laissé des oranges et du papier de toilette, je n'ai besoin de rien d'autre. «*Not to die*», comme il dirait. *Not today*. Pas aujourd'hui, pas pour mourir…

La chambre est sombre. Dehors, le ciel est couvert et il vente encore. Incapable de me lever sans que la tête me tourne, je reste étendu, j'écoute les bruits de l'hôtel, la rumeur de la rue. J'attends, je mange des oranges, j'attends encore. Je stresse à l'idée de l'argent qui file, à l'idée que je ne sais pas quand je pourrai en recevoir. Je sais qu'il y a un autocar pour Tebessa à onze heures. Le terminus n'est pas loin. De Tebessa, je pourrai passer en Tunisie. À dix heures trente, je n'en peux plus. Je ne veux pas passer la journée ici à retourner tout ça dans ma tête, je vais devenir fou. Je ramasse péniblement mes affaires, obligé de m'arrêter et de me recoucher deux ou trois fois pour ne pas vomir. Mon organisme finit par s'adapter à la position verticale, je quitte l'hôtel aussi vite que je peux et j'arrive au terminus juste à temps. L'autocar est moderne, ce qui me rassure un peu, mais en montant à bord je m'aperçois qu'il fait incroyablement chaud, qu'il n'y a pas de ventilation, que pas une seule fenêtre n'est ouverte et que le plancher est couvert de sciure de bois, comme si on s'attendait au pire. Nous nous mettons en route et bientôt deux passagers sont malades, penchés en avant pour vomir dans des sacs fournis par la compagnie, tout à fait comme ceux qu'on voit dans les avions. Tant mieux, je suis content, je ne serai pas le seul.

Tebessa

L'autocar s'arrête dans un petit village. Il y a moins d'animation qu'au Maroc, mais toujours des bagages à monter et à descendre, des adieux à faire, des choses à vendre et à acheter. J'observe tout cela de ma place quand un petit garçon qui vend des dattes sur le bord du trottoir s'approche de l'autocar et s'arrête devant ma fenêtre. Je lui fais un sourire, il me regarde un long moment et il crache dans la vitre. Quand nous repartons, la tache de salive se superpose partout sur le paysage.

Le désert a fait place à la montagne, des massifs escarpés de roche nue et noire à travers lesquels nous grimpons depuis un certain temps déjà sur une route étroite. La température change rapidement, il fait frais, le ciel est de plus en plus lourd et le mauvais temps avance vers nous en même temps que nous avançons dans sa direction. Vers trois heures de l'après-midi, tout devient sombre comme à la tombée de la nuit. L'orage éclate d'un coup et la pluie se met à battre les vitres avec violence. Nous continuons à grimper dans ces montagnes hostiles et la pluie se change peu à peu en neige mouillée, puis en gros flocons. Lorsque l'autocar arrive à Tebessa, c'est devenu une véritable tempête et on se croirait en plein hiver. Devant nous apparaît une imposante porte romaine par où nous pénétrons dans la ville, le temps se télescope et je ne sais plus si je suis en Algérie, à Rome ou en Transylvanie, ou si tout ceci est encore de la science-fiction.

À deux pas du terminus, le premier hôtel où je m'arrête est sympathique, la pièce qui sert à l'accueil est couverte de tapis rouge, plancher, murs et plafond inclus. Après m'avoir poliment questionné sur mon travail, le commis m'inscrit comme « écrivain de livres », l'autre catégorie étant, j'imagine, celle des écrivains publics. Écrivain de livres : voilà ce qu'il m'aurait fallu répondre au douanier quand je suis arrivé. Qu'est-ce que vous écrivez ? Des livres. Je ne suis pas un auteur de science-fiction, je ne suis même pas un auteur de fiction, je suis un auteur de livres. Je ne suis pas non plus un écrivain public, je suis un écrivain privé. Privé d'argent, d'amour, de gloire, privé de tout.

◈

Le lendemain, il fait encore froid mais le ciel est dégagé. Les hommes du village sont tous assis au bord des rues, enveloppés dans leurs grands burnous bruns, à se réchauffer au soleil. Ils ont le teint brun, les yeux bruns, les cheveux noirs, les pommettes hautes. Les femmes sont habillées de châles colorés, de longues jupes superposées, avec des bijoux en or qui leur donnent des allures de gitanes. Je fais rapidement le tour des environs. Je mange une soupe aux lentilles et aux pois chiches, très épicée, qui me réchauffe un peu. Les gens sont très aimables, très gentils, très accueillants. Quelqu'un paie même mon café.

Je profite de l'occasion pour passer à la banque changer un de mes derniers chèques de voyage. Le commis est sympathique, il m'explique qu'en raison des problèmes politiques il ne peut me donner que des dinars algériens, je ne pourrai obtenir des dinars tunisiens qu'une fois la frontière franchie. Je change cinquante dollars et je passe payer mon hôtel. À treize heures, je monte à bord d'un vieil autocar jaune et blanc, et je quitte Tebessa pour la frontière. Il nous faut une heure et demie pour franchir les trente kilomètres qui nous en séparent. Il suffit de ne pas être pressé.

À LA FRONTIÈRE, les douaniers algériens me laissent passer sans problème, peu engageants mais pas trop tatillons. Les Tunisiens sont plus curieux. Côté police, on me demande ce que je sais de la Tunisie, ce que je pense de Kadhafi – j'essaie d'avoir l'air aussi ignorant que possible, ce qui n'est pas trop difficile. Côté douane, un fonctionnaire zélé ne se gêne pas pour fouiller mes bagages, sortant à mesure ce qu'il trouve et l'étalant devant lui. Je ne sais pas s'il le fait exprès mais je me sens de plus en plus ridicule en voyant ainsi mes maigres biens exposés à tous les regards, chemises froissées, chaussettes sales, sous-vêtements, papier de toilette. Il déroule complètement mon sac de couchage, me laissant le soin de le remballer, pendant qu'il examine mes livres, puis mon carnet de notes. Il le prend, le feuillette, essaie même de déchiffrer mon écriture – des choses que je n'oserais même pas montrer à mon éditeur. Je suis un peu troublé, j'ai envie de lui dire que personne avant lui ne s'est intéressé à mon travail d'aussi près.

On nous dirige ensuite vers une camionnette qui assure la navette entre la frontière et le prochain village. Je ne sais pas où nous sommes, je pense que l'endroit s'appelle Feriana. Je n'ai plus un sou et personne ne veut de mes dinars algériens. Impossible non plus de changer un chèque de voyage, pour cela je dois me rendre à Kasserine, à trente kilomètres d'ici. Je réussis à faire le trajet en stop et à trouver une banque encore ouverte. Ensuite il est trop tard pour repartir et je dors dans le seul hôtel du village. La chambre est dégueulasse. Il fait froid, les w.-c. sont au bout d'un couloir sale et le lavabo est bouché. Je note un dernier détail avant d'aller éteindre la lumière : le commutateur est situé dans le corridor, à l'extérieur de la chambre.

Au terminus, mon sac à mes pieds, j'attends l'autocar pour Tunis. Deux jeunes Arabes en jeans, avec des têtes de petits bandits, s'approchent de moi. L'un me demande en anglais : « *You take that bus ?* » tandis que l'autre ne me regarde pas et s'intéresse seulement à mes bagages. Je ne comprends pas ce qu'ils veulent, je réponds en français pour ne pas avoir l'air d'un touriste américain. Ils restent là, à côté de moi, ils n'ont rien d'autre à ajouter. Celui qui ne m'a pas parlé soulève mon sac et le tâte un peu, complètement indifférent à ma présence. Ils échangent quelques mots en arabe, j'ai l'impression qu'ils discutent pour savoir si ça vaut la peine de m'assassiner pour si peu. Heureusement le chauffeur arrive et ils abandonnent la partie.

Je monte à bord de l'autocar. Il n'y a encore personne. Un autre passager monte derrière moi, sympathique, souriant. Il me suit, m'aide à installer mon sac dans le filet à bagages et, juste au moment où je me prépare à engager la conversation, il tend la main et me demande de l'argent. Je suis exaspéré, je lui dis de me foutre la paix, que j'ai déjà donné et que je ne peux pas faire vivre toute l'Afrique du Nord. Ça me soulage sur le coup, mais ensuite je le regrette un peu ; on ne va quand même pas chez les gens pour les engueuler.

En route, nous ramassons les passagers d'un autre car, parti plus tôt et tombé en panne. Nous sommes maintenant entassés comme des sardines, il fait chaud, il n'y a pas d'air et pas une fenêtre n'est ouverte. Mon voisin est malade et vomit à côté de moi dans son sac en papier. Le voyage est interminable. Six heures plus tard, je suis en train de devenir fou dans ce sauna roulant quand le chauffeur arrête le car sans raison apparente au bord de la route et descend en refermant la porte derrière lui. Le temps passe. Cinq minutes. Dix minutes. Nous sommes en face d'une boucherie. Des carcasses d'agneaux et des poulets étêtés pendent à la devanture au milieu d'un tourbillon de mouches. Au bout d'une éternité, je vois le chauffeur qui en sort sans hâte, échangeant encore quelques blagues avec le patron, un paquet enveloppé dans du papier brun sous le bras qu'il dépose à côté de son siège, pas le moindrement gêné d'avoir fait attendre tout le monde enfermé dans cette étuve pendant qu'il achetait le souper familial. Je voudrais l'assassiner mais, une fois à Tunis, comme je me prépare à quitter le terminus, mon bagage sur l'épaule, il me demande où je compte aller, puis il me fait monter à bord et vient me reconduire jusqu'au centre-ville, en pleine circulation, dans son immense autocar.

Tunis

Le premier contact avec la ville me plaît. L'air est doux, les rues sont animées. Les cinémas annoncent des films récents, on trouve des revues et des journaux français, il y a des librairies, des restaurants pas trop chers qui offrent des menus variés, des cafés terrasses et un marché aux fleurs sous des arbres remplis de milliers d'oiseaux qui criaillent tous en même temps. J'ai l'impression d'avoir retrouvé la civilisation. Ma civilisation, bien sûr. Je me mets à la recherche d'une chambre, je trouve finalement un vieil hôtel un peu délabré et plein de charme, qui s'appelle le Nouvel Hôtel, juste en face d'un grand square planté de palmiers au centre duquel se trouve une statue équestre montée sur un socle imposant. Je ne sais pas de qui il s'agit. Ma chambre est au troisième étage, grande et propre, avec un plafond haut et une porte à deux battants, vitrée, qui donne sur un balcon étroit. Il y a un gros fauteuil et je peux le placer juste devant. C'est un peu cher pour moi, mais j'avais envie de m'installer dans un endroit qui me plaise. Demain, si mon télégramme s'est bien rendu, j'aurai de l'argent, je verrai.

Depuis que j'ai quitté Algésiras, il y a deux mois, il me semble que c'est la première chambre habitable que j'occupe. Je me rejoue en accéléré le film de mes dernières semaines, et tout à coup la succession de lieux où j'ai dormi, la quantité de villes et de villages traversés, le nombre de choses vues m'apparaît formidable, tant d'images, tant de souvenirs, tant de gens différents, tant de vies qui continuent depuis, tout au long de mon parcours, qui continuent en ce moment même, dans tous ces autres lieux, toutes ces vies croisées un court instant, chacune au centre de son propre univers, chacun de ces univers tissé lui aussi de relations et de parcours croisés, et, seul dans ma chambre, j'ai un accès de fou rire en pensant à tout ce mouvement vertigineux qui me paraît tout à coup totalement « adorable », c'est le mot qui je ne sais pourquoi me vient à l'esprit.

Chère Angèle, ce matin je me suis réveillé avec, pendant un bref moment, la sensation que je n'étais qu'un événement du monde, et cela m'a apaisé. Je n'avais pas à tout comprendre ni à tout contrôler, je n'étais qu'une petite partie sans importance qui participait au tout. C'est plus facile que de porter le poids de l'univers comme j'en ai l'habitude.

Il fait un peu frais, mais je déjeune malgré tout à la terrasse d'un café, pour le plaisir d'être dehors, de lire le journal, de fumer une cigarette. Si tout va bien, il y aura de l'argent pour moi à la banque tout à l'heure et je serai enfin libre de poursuivre ma route. J'ai recommencé à prendre mes pilules contre la malaria. Il me reste encore presque deux mois pour me rendre en Inde, avec un peu de chance j'y arriverai peut-être, même si chaque jour qui passe me fait en douter un peu plus. Je me dis que je pourrais bien laisser tomber le référendum, mais si le camp du Oui l'emportait je m'en voudrais toujours de ne pas avoir été là pour assister à la naissance de notre pays.

En me rendant à la banque, je passe devant un comptoir d'Air France et j'en profite pour me renseigner sur les départs vers Bombay ou Calcutta. On m'explique que le plus simple serait de prendre d'abord un vol pour Paris, puis de là une correspondance pour l'Inde. Outre le fait que le prix du billet est inabordable, il y a dans cette idée quelque chose qui me dérange, le fait sans doute que j'y étais déjà, à Paris, il y a deux mois…

Je continue jusqu'à la banque. Après une bonne demi-heure d'attente, j'atteins finalement le comptoir, sourire aux lèvres et passeport canadien à la main. Mauvaise nouvelle : il n'y a rien pour moi. Je ne comprends pas. Le virement devrait être arrivé depuis quelques jours. J'explique la situation, je demande qu'on fasse des recherches, des vérifications. Nouvelle attente. Mon caissier se promène d'un guichet à l'autre, déplace quelques papiers, disparaît dans un bureau. Le temps passe, j'ai peur qu'il ne m'ait oublié. Il revient finalement me dire qu'il n'y a pas d'argent à mon nom, ni traite ni virement, rien. Je panique un peu. Je soupçonne le système bancaire local d'être comme tout le reste, totalement inefficace ; j'ai peur que mon argent soit disparu sans laisser de traces, mais je n'ai aucune preuve, peut-être ne m'a-t-il pas été envoyé, peut-être mon télégramme ne s'est-il pas rendu, comment savoir et à qui faire confiance ? Gardant mes doutes pour moi, je sors avant de devenir trop casse-pieds. Il faut d'abord que je téléphone à Québec.

Je reviens à l'hôtel, je fais quelques calculs, il devrait me rester assez d'argent pour cinq ou six jours. Ce n'est pas encore dramatique mais j'aimerais bien comprendre ce qui se passe. Il y a six heures de décalage horaire entre la Tunisie et le Québec, et je dois attendre le milieu de l'après-midi pour téléphoner là-bas si je ne veux réveiller personne. Comme je n'ai pas beaucoup d'argent, je préfère appeler à frais virés, en PCV comme on dit ici. Impossible de le faire depuis l'hôtel, je dois me rendre au bureau des PTT, ce qui veut dire marcher quinze minutes, faire la file, donner le numéro que je veux joindre, attendre qu'on me fasse signe de prendre une cabine, attendre qu'on établisse la communication, attendre que quelqu'un réponde. Les PTT ouvrent de huit heures à midi et de quinze heures à dix-huit heures. J'essaie trois fois, à une heure d'intervalle, sans succès. Entre-temps, j'ai téléphoné à l'ambassade. Je voudrais qu'on m'aide à retracer cet argent. J'imagine aussi qu'on ne me laissera pas dans la rue si je n'ai plus rien et qu'on pourra au besoin me dépanner en attendant que je reçoive la somme prévue. J'ai rendez-vous là-bas demain après-midi. Ça me rassure un peu.

Mon rendez-vous à l'ambassade est à quinze heures. En attendant je flâne un peu dans les rues. Je prends un café puis je me promène près du marché aux fleurs. On y vend des livres d'occasion dans de grands bacs, comme sur les quais de la Seine à Paris. J'en profite pour bouquiner un peu. C'est un coin tranquille où l'on ne se fait pas harceler. J'achète deux romans d'Hemingway, *L'adieu aux armes* et *Les vertes collines d'Afrique*. Ensuite je prends l'autobus pour l'ambassade, située dans un quartier périphérique. Le trajet est plus long que je ne croyais, la circulation dense, j'arrive à l'ambassade avec une heure de retard, en sueur, énervé.

Dans la salle d'attente où on me laisse poireauter, j'ai tout le temps qu'il faut pour éplucher les journaux de

Montréal. Je lis dans un entrefilet qu'on vient d'ajouter des représentations à un spectacle engagé en faveur de l'indépendance, une création collective qu'on qualifie de joyeuse et mordante. Parmi les comédiens, Angèle et plusieurs de ses amis. Je suis bouleversé. Ce sont les premières nouvelles que j'ai d'elle depuis si longtemps. Voilà donc ce qu'elle fait, pendant que je m'ennuie et que je perds mon temps à l'autre bout du monde. Je l'imagine sans peine, rayonnante, enthousiaste, pleine de vie. Elle m'a oublié depuis longtemps, emportée dans le tourbillon de son existence. Je ne peux m'empêcher de penser qu'elle a sûrement un amant parmi tous ces comédiens qui l'entourent, je la vois prendre une bière après le spectacle, je l'entends rire, s'emballer, encourager tout le monde comme elle m'encourageait, se donner tout entière. Tout cela me bouleverse, me démolit. C'est tellement clair, comment aurait-elle pu m'aimer encore, je comprends si bien le frein que j'étais pour elle, avec mes questions, mes doutes, mes hésitations, mon sérieux, elle doit être bien débarrassée, on voit bien ce que je suis devenu sans elle, un chevalier à la triste figure, un pauvre type incapable de se débrouiller, pendant qu'elle mène ses troupes à la victoire, comme une Jeanne d'Arc resplendissante.

Finalement, un jeune Québécois barbu me reçoit dans son bureau. Je lui explique ma situation. Je n'ai presque plus d'argent, j'en attends, un ami m'en a envoyé et je ne l'ai pas reçu, je trouve ça louche, j'aimerais qu'on m'aide, le système bancaire me paraît bien lent et peu sûr. Hélas, l'ambassade n'est pas une banque, m'explique à son tour le jeune attaché consulaire, on ne peut rien faire pour moi, ni m'aider à faire venir de l'argent, ni m'en avancer, ni même changer les cinquante dinars algériens qu'il me reste contre des dinars tunisiens, ce qui me paraît pourtant facile et me serait fort utile.

Ébranlé, je retourne aux PTT pour téléphoner. Il est déjà cinq heures. Attente pour avoir un numéro, attente pour avoir une cabine, attente pour obtenir la communication, attente que quelqu'un réponde. Pas de réponse. Je retourne à ma chambre, je me plonge dans le livre d'Hemingway, en pleine guerre d'Espagne, et tout me semble plus vrai que dans ma propre vie.

Mourad

Le soir, je sors, même si je n'ai pas beaucoup d'argent. Ça vaut mieux que de rester dans ma chambre à penser à Angèle. J'aime bien Tunis. C'est curieux, cette ville à moitié européenne. Ce n'est pas seulement l'architecture, c'est aussi le mode de vie. Je n'ai rien vu de semblable au Maroc, ni en Algérie. C'est peut-être l'alcool, ici on boit beaucoup plus librement. Ça crée un climat d'euphorie, de fébrilité, de plaisir illicite, un climat d'interdit transgressé, de liberté un peu affolée. Il y a beaucoup de gens assis aux terrasses des cafés, beaucoup de monde sur les trottoirs et des voitures plein le boulevard qui klaxonnent sans arrêt.

Je m'assois à une terrasse, je commande une bière, j'observe tout cela. À la table à côté, un jeune homme plutôt sympathique, assez bien mis. Nous faisons connaissance. Il s'appelle Mourad, il est étudiant en médecine et je suis bien content de rencontrer un étudiant, même si j'aurais préféré qu'il étudie la philosophie ou la littérature. Il m'offre un café, je lui propose une bière, qu'il refuse d'abord, puis accepte, mais seulement une, dit-il. Il est un peu à court d'argent en ce moment. On a bloqué son allocation mensuelle. Il y a eu des manifestations à l'université, il faisait partie des manifestants. Manque de chance, ces manifs ont coïncidé avec l'attaque de Gafsa. Comme il vient de cette région, l'administration a décidé de lui couper les vivres en manière de représailles.

L'attaque de Gafsa, cette histoire m'intéresse. C'est par Gafsa que je devais d'abord arriver en Tunisie. J'étais à El Oued, juste à côté, quand la frontière a été fermée. Qu'est-ce qui s'est passé ? Je n'ai rien vu à ce sujet dans les journaux.

Mourad me raconte qu'un convoi de militaires rebelles a profité de la complicité algérienne pour traverser en Tunisie et attaquer Gafsa. Mais l'armée est demeurée fidèle au président et les a vite repoussés. Il y aurait eu des morts, certains disent plus de cent, mais c'est tout ce qu'il sait, il n'était pas là-bas, il était ici et il faisait la grève pour une tout autre raison, une question d'administration interne, si j'ai bien compris. Il ne sait rien d'autre, il ne peut rien me dire de plus. Peut-être me prend-il pour un espion, peut-être ne fait-il confiance à personne lui non plus ?

Je n'insiste pas et je change de sujet. Je lui explique vaguement ma situation, je n'ai pas beaucoup d'argent, je cherche un petit village où je pourrais m'installer quelque temps, un endroit tranquille, à l'écart des circuits touristiques. Il ne sait pas. Il a déjà voyagé un peu, en Italie, en Égypte, mais pas beaucoup en Tunisie. Il ne semble connaître que les destinations classiques : Djerba, Matmata, Sidi Bou Saïd, Kairouan. Il me recommande Kairouan, où son vieil oncle habite. Son oncle est riche, il m'hébergerait avec plaisir, il suffirait qu'il lui écrive un mot, il en profiterait pour lui emprunter un peu d'argent que je pourrais lui rapporter à Tunis. Il traverse une période vraiment difficile. Il a réussi à emprunter un dinar à un copain ce matin ; il s'est acheté un journal, des cigarettes, un café, et il ne lui reste que cinq cents millimes. Lui qui est plutôt débrouillard lorsqu'il voyage, ici, chez lui, il ne l'est plus du tout. Il gagne parfois un peu d'argent en accompagnant des touristes, mais actuellement ce n'est pas une très bonne période.

Il a dû voir un soupçon passer dans mes yeux et il me rassure aussitôt. Il n'a pas l'intention de me proposer ses services de guide ni de me faire visiter quoi que ce soit. Il veut simplement parler avec moi, en toute amitié, il aime bien ma conversation et la sienne pourrait m'être utile, qui sait ? Nous pourrions nous revoir demain, prendre un café ensemble, avant ses cours. J'hésite à dire oui, je ne suis pas trop sûr que j'en ai envie ; pour un étudiant, il ne me paraît pas très éclairé. Mais devant son insistance je finis par accepter. Il me dit qu'il va écrire une lettre à son oncle pour lui demander de l'argent mais, bien sûr, s'il pouvait téléphoner, ce serait encore mieux. Je lui prête un dinar.

J'ai rêvé cette nuit à un homme en train de se noyer dont seule la bouche sortait de l'eau. C'est tout ce qu'on voyait de cet homme, une bouche qui parlait, qui appelait. Et tout à coup je me rendais compte que personne autour de lui n'était dans l'eau, seul cet homme transportait partout avec lui l'eau dans laquelle il se noyait. Je me suis réveillé tellement cette image me paraissait claire.

Petit matin gris, il pleut sur Tunis. Ce n'est pas un déluge, juste une petite pluie, légère comme un souffle, et la ville est quand même agréable. Je prends un café avenue Habib-Bourguiba ; Mourad ne se montre pas, tant mieux. Je passe à la banque. Je n'ai toujours rien reçu. Maintenant il ne me reste plus qu'à attendre le milieu de l'après-midi pour téléphoner à Québec et comprendre ce qui se passe.

Je reviens à l'hôtel. La femme de ménage est passée, le lit est fait, tout est propre, quel luxe ! J'aime beaucoup cette chambre. Je passe de longues heures assis dans mon gros fauteuil. Je lis, j'écris, je réfléchis. Je n'ai rien d'autre à faire.

Mes journées commencent à se ressembler. Je quitte l'hôtel vers huit heures et je vais au café lire le journal, puis je passe à la banque, où il n'y a jamais d'argent pour moi ; ensuite, il ne me reste plus qu'à attendre la fin de l'après-midi pour pouvoir téléphoner à Québec et ne pas réussir à rejoindre l'ami à qui je veux parler. Pour conserver mon crédit à l'hôtel, je palabre avec le patron régulièrement et je le tiens au courant de ma situation. J'ai hâte de quitter Tunis, il me semble que je commence à en avoir fait le tour. Je déteste me sentir bloqué ici, j'ai l'impression d'être prisonnier.

À la une du journal, on parle enfin de ce qui s'est passé à Gafsa. Le procès des insurgés vient de s'ouvrir. Ils sont accusés de tentative de coup d'État, l'affaire est grave. La Lybie et l'Algérie avaient planifié de renverser le régime en place. L'attaque contre la ville avait été organisée par des dissidents en exil. Les armes et tout le matériel ont transité par l'Algérie, mais c'est la Lybie qui serait derrière toute l'opération. Le but était de prendre Gafsa puis d'amener la population à se soulever dans tout le pays. La stratégie n'a pas fonctionné. Personne n'a suivi le mouvement. Gafsa a vécu en état de siège durant toute une semaine. L'opinion internationale a manifesté son appui au régime en place, la France a envoyé des avions de combat, des hélicoptères, trois navires de guerre et cinq sous-marins — ce qui m'étonne un peu car la ville est située en plein désert.

C'est quand même incroyable, je n'ai rien su de tout cela et j'étais presque sur les lieux. C'était la guerre et je ne le savais pas. Arrivé à la frontière vingt-quatre heures plus tôt, je me serais retrouvé en plein cœur de l'action, en pleine actualité, j'aurais enfin eu quelque chose à raconter. À moins bien sûr que je ne sois resté coincé à l'hôtel toute la semaine sans pouvoir en sortir, enfermé dans ma chambre à attendre, à me poser des questions, à me demander ce que je faisais là, si je ne m'étais pas trompé de route et pourquoi je n'étais pas resté chez moi.

Attendre. Depuis que je suis ici, j'attends. Ambassades, PTT, banques, gares, hôtels ; pour louer une chambre, pour acheter un billet, pour changer un chèque, pour déposer mes bagages à la consigne, j'attends. Assis sur une chaise, un banc, sur mon sac posé par terre, debout, appuyé au comptoir, au mur, au coin d'un meuble, j'attends. Dix minutes, une demi-heure, une heure, deux heures, j'attends que le train parte, que la file avance, que la place se libère, que quelqu'un s'occupe de moi. Je ne le dis pas mais, d'une certaine façon, j'aime bien attendre. Ça m'occupe. Je ne fais rien et je n'ai pas l'impression de ne rien faire. Je ne fais rien et je ne me sens pas coupable. Il y a un but. J'arriverai au guichet, au comptoir, au bureau, à la personne qu'il faut. Ensuite tout recommencera comme avant, il faudra décider quelque chose, entreprendre, choisir. Mais pour le moment j'attends et je ne peux rien faire d'autre.

$$$

Quatrième journée à Tunis, quatrième visite à la banque, dixième visite au moins aux PTT, je ne les compte plus. Aujourd'hui, vers dix-sept heures, je réussis enfin à rejoindre mon ami à Québec. Il est d'excellente humeur, en train de boire son premier café de la journée. Il a passé quelques jours à la campagne, loin de tout, en charmante compagnie. Il vient tout juste de prendre connaissance de mon télégramme. Il m'explique d'un ton amusé qu'il n'y a pas un sou dans mon compte de banque. Je n'en crois pas mes oreilles. Il n'a jamais reçu l'argent que j'attendais et qu'on devait lui faire suivre. Il aurait bien voulu m'en aviser avant mais il ne savait pas où me joindre.

Je suis abasourdi. Je comptais sur cet argent, j'en ai besoin. Comment vais-je faire pour continuer ma route ? Me voilà sans ressources à des milliers de kilomètres de chez moi. Je ne sais plus quoi dire. Mon ami s'étonne que je sois rendu à Tunis, il m'imaginait à Bombay ou à Calcutta, tout ça lui paraît très drôle, une bonne plaisanterie, tout à fait mon genre. Il me demande comment se passe mon voyage. Je n'ai pas envie d'en parler. Il ne se rend pas compte de ma situation, ne comprend pas du tout mon énervement. En attendant de reprendre mes esprits, je lui donne rendez-vous demain à la même heure et je lui fais jurer qu'il sera chez lui, pas chez une charmante copine. Après avoir raccroché, pris de panique, je décide d'appeler à l'ambassade pour emprunter un peu d'argent. Trop tard, l'ambassade est fermée. Découragé, je reviens à l'hôtel.

Moi qui pensais que mes problèmes allaient enfin se régler, je tombe de haut. Je n'ai plus un sou et je ne vois pas comment je vais faire, d'aussi loin, pour récupérer ce qu'on me doit. J'ai envie de rentrer à la maison. Je suis fatigué de ces histoires d'argent. Depuis que j'ai quitté l'Algérie, il me semble que je passe mes journées dans des banques, à parler à des gens qui n'ont aucune envie de s'occuper de moi, qui semblent n'avoir aucune considération pour un malheureux écrivain québécois en voyage, même s'il a un passeport canadien.

Passant avenue Habib-Bourguiba, encore ébranlé, je croise mon ami Mourad. Je lui explique que je n'ai pas d'argent et il est très heureux de m'inviter à prendre un café. Il n'a toujours pas reçu son allocation mais il a réussi à emprunter deux dinars à un copain ce matin. Il me cite un dicton de son pays, à moins qu'il ne soit de son invention : « Ainsi pauvre, ainsi riche. » Pour lui, cela veut dire que l'argent ne change rien à notre relation, que je sois pauvre ou riche, c'est la même chose.

Je doute de plus en plus qu'il soit étudiant. Il ne semble pas connaître grand-chose, ne parle jamais de ses cours et n'a rien à raconter que des anecdotes plus ou moins intéressantes, qui tournent souvent en ridicule les touristes à qui il a servi de guide et qu'il surnomme les « vieilles casseroles », je ne comprends pas trop pourquoi mais l'expression le fait bien rire. Il m'a déjà expliqué que je ne dois pas me sentir visé, puisque je suis son ami. Pour lui, l'amitié est une chose très importante. Il m'a raconté une longue histoire mettant en scène un Tunisien et un ingénieur canadien venu diriger un chantier en Tunisie. Le Tunisien est pauvre, le Canadien se montre bon et généreux, et les deux deviennent des amis. Son contrat terminé, le Canadien rentre chez lui et ils se perdent de vue. Plusieurs années plus tard, le même Canadien, qui fait maintenant des affaires à Tunis, est victime d'un coup monté, accusé de corruption, jeté en prison et dépouillé de tout ce qu'il possède. Découragé, il est sauvé in extremis, attention voici le *punch*, par son ami tunisien devenu riche entre-temps et qui le tire de ce guêpier. Et le Tunisien conclut en disant au Canadien (ou est-ce Mourad qui me dit cela à moi ?) : « La vraie richesse, c'est d'avoir un ami, souviens-toi de cela, mon frère. »

J'ai rêvé toute la nuit, des rêves sans queue ni tête mais qui ont sans doute replacé des choses dans mon cerveau. Aujourd'hui, il fait beau et chaud comme en été. Je me réveille avec l'envie de bouger, l'envie de me remettre en route, l'envie d'être à Montréal, mais bien sûr je n'ai pas un sou, tout ce que je peux faire, c'est retourner mendier à l'ambassade. Mohammed, le vieux qui s'occupe parfois de la réception, vient frapper à ma porte.

— Tu es là, monsieur ?

Il semble surpris de me trouver dans ma chambre, peut-être craignait-il que j'aie filé en douce, je dois déjà trois nuits d'hôtel.

— Quand tu sors, tu donnes la clé, conclut-il.

À l'ambassade où on me fait encore attendre, je jette un coup d'œil sur la dernière livraison des journaux de Montréal : c'est démoralisant, tout le monde s'engueule, il y a une grève des employés municipaux ou de je ne sais qui, les rues sont sales, la circulation bloquée, on annonce une autre tempête de neige et tout à coup je n'ai plus tellement envie de rentrer.

Le jeune barbu qui s'occupe de mon dossier finit par me recevoir. L'entrevue est simple : il ne peut rien pour moi. J'essaie de faire durer les choses, je n'ai pas fait une heure d'autobus pour passer cinq minutes dans son bureau et m'en retourner gros Jean comme devant. Je veux qu'il me considère comme un égal, qu'il me parle comme si nous étions deux êtres humains plutôt qu'un fonctionnaire et son problème. Nous avons le même âge, nous venons du même milieu, je le reconnais à son accent, à son manque d'assurance et même à ses farces plates (il a enseigné à sa secrétaire tunisienne l'expression « C'est tiguidou » qu'elle emploie maintenant à tout propos) ; mais il refuse de parler de lui, de créer un rapport plus personnel. Il me vouvoie, me fait bien sentir que cette question d'âge, de culture, ne nous rapproche pas, que je suis un marginal et pas lui. J'essaie diverses stratégies, je lui fais valoir que, si je n'ai plus d'argent, l'ambassade devra me rapatrier, que tout cela sera beaucoup plus compliqué. Je joue la carte québécoise, l'esprit de clocher, la famille, le clan, la tribu, je ne réussis pas à l'influencer, à faire tourner la situation en ma faveur. À la toute fin seulement, voyant sans doute mon désarroi, il se décide à me tutoyer, à montrer un peu de sympathie. Il me propose une solution : envoyer un télégramme à mon père, qui répondra de moi. C'est bien la dernière chose que je voulais faire. Grâce aux services de l'ambassade, le télégramme part immédiatement.

Il ne me reste plus qu'à retourner à ma chambre et à attendre. J'ai dû laisser mon passeport en garantie à l'hôtel parce que je n'ai plus d'argent, mais l'attaché consulaire m'en a avancé suffisamment pour mes dépenses des deux prochains jours et je n'ai qu'une envie, c'est me plonger dans un livre et ne plus penser à rien. En chemin, je passe revendre *L'adieu aux armes* que je viens de terminer. Je repars avec *Sur la route*, de Kerouac.

Avec tout ça, j'ai complètement oublié de rappeler mon copain à Québec.

6

Je me lève tard. Je n'ai pas beaucoup dormi. J'ai roulé une partie de la nuit avec Sal et Dean sur les routes de la Californie, du Texas, du Colorado, incapable d'abandonner ma lecture, risquant deux ou trois fois de m'endormir au volant. Ce matin, quelque chose dans ma tête a changé, quelque chose s'est débloqué, c'est comme si on m'avait insufflé une dose d'énergie nouvelle. Tout à coup, je me sens américain, et je m'aperçois que j'aime l'Amérique ; tout à coup j'éprouve une grande envie d'y être, une grande envie de cette liberté, de cette créativité, de ce dynamisme. Je prends conscience de la chance que j'ai d'y être né, d'en faire partie, et que l'Amérique ne soit pas pour moi, comme elle l'est pour tant d'autres, un rêve lointain et inaccessible.

Plein d'enthousiasme, je sors manger quelque chose. Passant près des souks, j'ai l'impression d'halluciner. Au lieu de la musique traditionnelle diffusée par les haut-parleurs, j'entends *Blue Suede Shoes*, puis *Hound Dog*, qui me suivent d'échoppe en échoppe, je n'en crois pas mes oreilles et je me demande ce qui m'arrive et de quelle substance j'ai bien pu abuser. J'ai beau me pincer, ça continue, jusqu'à ce que la voix d'un présentateur explique enfin qu'il s'agit d'une émission spéciale consacrée à Elvis Presley par cette station de radio que tout le monde écoute.

Abus de lecture, voilà ce qui m'arrive.

Werner

Tout de suite après, je suis abordé par un jeune Hollandais à la recherche d'un hôtel pas trop cher. Il s'appelle Werner, il parle très bien français et il n'a pas tellement l'air d'un Hollandais. Pas très grand, le cheveu rebelle, blue-jean et veste de cuir, sourire charmeur, il pourrait facilement passer pour un Américain. Je l'emmène au Nouvel Hôtel, il y prend aussitôt une chambre où il dépose son bagage, après quoi nous allons manger ensemble.

Abus de lecture. C'est un phénomène que j'ai souvent constaté, lire ne fait pas que changer notre façon de percevoir le monde, lire change parfois le monde lui-même, le monde réel dans lequel nous vivons. Ça n'a rien à voir avec l'influence d'un livre, avec ces lectures qui nous forment, qui orientent nos idées et notre personnalité. Ça tient plutôt du miracle. C'est la réalité elle-même qui change. C'est quelque chose de concret, c'est la littérature qui a sur la vie des répercussions inattendues, tangibles, objectives, comme si l'auteur dont on lit la voix existait toujours, pouvait nous habiter, reprendre vie à travers nous, recréer autour de lui des événements, des décors, des personnages qui peu à peu se mettraient à ressembler à son univers.

Werner est un séducteur. Il possède ce don rare de se faire aussitôt aimer de tout le monde, à l'hôtel quand nous y passons pour louer une chambre, au magasin de tabac où nous nous arrêtons en route, au restaurant à présent, tout le monde lui sourit et semble avoir envie de le connaître. Pourtant, ce n'est pas un type vraiment recommandable. Activiste, c'est ainsi qu'il se définit. À Amsterdam, il participe à des mouvements en faveur de changements sociaux: squats, manifestations, agitation, barricades. Il fait partie d'un groupe d'anarchistes. Il y a quarante-huit heures à peine, il affrontait les blindés de l'armée venus les déloger d'un immeuble qu'ils occupaient. C'est un peu la raison de son voyage, il est ici pour deux semaines, le temps de souffler un peu, de se faire oublier.

Après le souper, il m'invite à fumer un joint de haschisch dans sa chambre. Il en a apporté d'Amsterdam, pour le simple plaisir de traverser les frontières avec « quelque chose ». Ça ajoute du piquant, dit-il, ça permet de rester sur le qui-vive. Je ne peux m'empêcher de penser à Jerry.

◈

Nous nous promenons dans la médina. Werner me pose beaucoup de questions sur tout ce que nous voyons. Je me rends compte que je n'ai pas fait preuve d'une grande curiosité depuis mon arrivée, que j'ai passé presque tout mon temps à lire, entre mes visites à l'ambassade, à la banque, aux PTT. Werner dit qu'il aime bien lire, mais qu'il préfère la vie aux livres. Il préfère parler aux gens, surtout lorsqu'il est en voyage. Il y a plus de vérité, dit-il, dans la rencontre d'une seule personne réelle que dans tous les romans, auxquels il manquera toujours ce qui fait la vraie vie : le danger. Je défends avec entêtement mes heures de lecture bienheureuses à l'hôtel, ces heures qui m'ont permis de refaire le plein d'énergie et qui ont changé non seulement ma vision du monde mais le monde lui-même, qui ont créé ce monde dans lequel il est apparu, lui, Werner, à cause de Kerouac.

Il me regarde d'un air pas trop convaincu. C'est ça, la magie des livres, dis-je. Ils ne nous permettent pas seulement d'entrer dans les méandres du cerveau d'un autre, ils participent concrètement à la création de l'univers. C'est une rencontre beaucoup plus profonde, plus intense, plus concentrée que toutes ces conversations banales qu'on a l'impression d'avoir déjà entendues mille fois. Mais Werner tient son bout; peut-être est-ce moi, suggère-t-il, qui n'arrive pas bien à parler aux gens? Lui, il découvre toujours chez chacun quelque chose de différent, d'intéressant, d'inédit, il apprend toujours quelque chose, sur le monde dans lequel il vit et sur lui-même.

À l'hôtel, il faut payer pour prendre une douche. Pour deux cents millimes, on vous remet la clé et une serviette. Werner, qui n'a pas beaucoup d'argent et qui, surtout, aime bien désobéir, propose que nous prenions notre douche à tour de rôle. J'y vais le premier puis, quand j'ai terminé, je sors et je lui passe la serviette. La femme de ménage constate notre manège et Werner lui donne deux cents millimes pour qu'elle ne dise rien. Je l'accuse de corruption du personnel. Il s'en fout, il est bien content d'avoir donné l'argent à cette femme qui en a besoin plutôt qu'à l'hôtelier qui en a plein les poches. D'accord, Robin des Bois, mais j'ai une question. Que peut-on bâtir sur de telles bases? Si on enseigne aux gens à boycotter le système en agissant eux-mêmes de façon irresponsable et cupide, comment ensuite pourrons-nous avoir une société qui fonctionne? Werner n'en est pas là. Il faut d'abord détruire le système en place, si nous voulons que les choses puissent changer, il faut d'abord créer l'espace nécessaire au changement. Il faut mentir aux institutions qui essaient de nous contrôler, leur donner du fil à retordre, mettre du sable dans l'engrenage du système, par tous les moyens. Il faut tout faire sauter, ce sont les bases de l'édifice qui sont à refaire. Je ne suis pas d'accord. Je n'aime pas la destruction. Pour moi, ce n'est pas ça l'anarchie, ce n'est pas le chaos, ce n'est pas n'importe quoi n'importe comment; c'est une forme d'organisation consciente, solidaire. Je pense tout à coup aux villages du M'zab, dans mon esprit ça ressemble à quelque chose comme ça, une structure organique, souple, née d'une volonté commune et guidée par un esprit unique.

— Tu es un idéaliste, dit Werner. Au fond tu rêves d'une dictature, c'est juste que tu y mets les formes. Ce dont tu parles n'a rien à voir avec la liberté. Moi, je suis un révolutionnaire. Il faut changer les choses en profondeur et les étapes sont seulement une façon de ne pas y arriver, parce qu'il y aura toujours d'autres étapes à franchir.

Werner connaît le Québec. Il sait qu'il y aura bientôt un référendum, il me demande où en sont les choses, ce que j'en pense. Il ne comprend pas pourquoi je ne suis pas là-bas pendant que se prépare cette journée historique, pourquoi je ne prévois rentrer qu'à la dernière minute. Il y a des choses qui se passent maintenant, des choses à faire maintenant. Je pense à Angèle, je me sens pris en défaut. Je ne sais pas comment lui dire que je n'aime pas beaucoup l'action politique. Je n'aime pas les foules, je n'aime pas les partis, les mots d'ordre, les vérités sans nuances. Werner ne semble pas avoir ce genre de problème. Il ne se sent responsable que de lui-même. La liberté, dit-il, n'est pas un concept auquel on peut imposer des limites. Lui, il fait ce qu'il a envie de faire parce qu'il est convaincu que c'est ce qu'il doit faire. Il ne porte pas de jugements, il vit ce qu'il y a à vivre, c'est sa seule morale. C'est ce qu'il appelle vivre en révolutionnaire et, insiste-t-il, c'est la seule façon de vivre pour vrai.

Je me rends compte que je partage souvent ses idées, mais dès qu'il s'agit de passer à la pratique, tout cela me paraît moins clair. « Ce ne sont pas des idées, dit Werner. C'est une façon de vivre. Il faut commencer par l'action, pas par les idées. Les idées viennent après. » Mais quelle action choisir, si on n'a pas de théorie, pas de philosophie, pas de morale ? Dans l'action, la question ne se pose pas. C'est comme à la guerre. On se défend, on protège les plus faibles, on attaque ceux qui veulent exploiter les autres, on gagne du terrain centimètre par centimètre, un peu plus de liberté chaque jour.

Juste à ce moment, nous entendons par la fenêtre un bruit de foule, des gens qui courent, des cris, des slogans. Nous sortons sur le balcon. En bas, deux ou trois cents personnes défilent presque au pas de course dans la rue avec des drapeaux. Werner se précipite vers l'escalier. Je reste sur le balcon. Il réapparaît trois étages plus bas devant la porte de l'hôtel au moment où les derniers manifestants s'éloignent déjà. Je le vois qui parle un peu avec un homme sur le trottoir puis qui revient à l'intérieur. Ce n'était pas une manifestation, c'était une petite parade pour souligner la victoire d'une équipe de football.

◈

Werner voulait voir la mer, il est parti pour Djerba sur un coup de tête ce matin. J'aimerais bien être comme lui, impulsif, spontané, mais je me dis que je ne changerai pas, que je dois m'accepter comme je suis et que déjà, en m'acceptant comme je suis, je change. Je suis content qu'il ne soit pas là pour lire dans mes pensées, il m'accuserait sûrement de tourner en rond, de vivre dans ma tête plutôt que dans la vraie vie. Mais au fond je n'ai pas besoin de lui, je suis bien capable de m'accuser tout seul.

Sept cents millimes

Il me reste sept cents millimes en poche quand j'arrive à l'ambassade. L'adjoint consulaire qui s'occupe de mon dossier me fait entrer dans son bureau, s'allume une cigarette sans m'en offrir une, fouille dans ses papiers, me laisse m'inquiéter un peu, m'annonce finalement que, oui, il a de l'argent pour moi. Ce n'est qu'une avance, consentie par l'ambassade sur engagement de mon père, mais elle devrait me suffire pour attendre le reste de la somme qu'il m'a envoyée et qui me permettra de revenir au pays. L'argent devrait arriver d'ici sept à dix jours, par les voies bancaires normales. Je sors de l'ambassade soulagé. Mes problèmes à court terme sont réglés et mon itinéraire vient d'être grandement simplifié. Je n'ai plus d'argent, il ne me reste qu'à rentrer.

Voilà, je ne me rendrai pas en Inde. Au fond, je n'avais peut-être pas tellement envie d'y aller, d'aller jusqu'au bout. Je n'avais peut-être pas tellement envie de me joindre à un groupe de croyants, de m'abandonner à un gourou. Au fond, je ne voulais peut-être pas tant que ça être forcé à tout remettre en question, à tout changer. Je ne voulais peut-être pas vraiment être sauvé.

Tout est loin d'être parfait mais au moins je n'ai plus à m'inquiéter et je vais pouvoir quitter Tunis quelque temps. Pour fêter cette bonne nouvelle, je me paie une bière à la terrasse d'un café. Mon ami Mourad, qui ne semble pas trop accaparé par ses études, passe justement dans l'avenue, m'aperçoit et vient me rejoindre. Ça va ? Ça va, mais il n'a rien mangé depuis ce matin. Je lui paie un café. Il est passé à la poste, mais il n'a toujours pas reçu son allocation du gouvernement. On la lui avait pourtant promise pour aujourd'hui. Il était tellement frustré qu'il a déchiré son journal en deux. Il l'a tout de suite regretté car il avait l'intention de me le donner, il sait que j'aime bien lire le journal. Est-ce que j'ai lu le journal aujourd'hui ? Oui ? Tant mieux. Vraiment dommage qu'il n'ait pu m'aider, je suis un type tellement sympathique. En allant à la poste, il se disait : si mon ami n'a pas d'argent à son ambassade, au moins je vais pouvoir lui en prêter. Mais voilà, il n'a pas eu un sou, tandis que moi j'ai été plus chanceux, c'est comme ça, ce n'est pas si grave, « ainsi pauvre, ainsi riche », il est très content pour moi, que je puisse repartir, continuer mon voyage. Il aurait simplement aimé avoir l'occasion de me payer un verre pour fêter mon départ.

Nous finissons nos consommations, je lui laisse les trois romans que j'ai avec moi et que je comptais revendre tout à l'heure, il en tirera bien six cents millimes, plus un dinar que je lui remets. Il pourra s'acheter quelque chose à manger. Il me remercie, souligne encore que si la situation avait été différente, s'il avait eu un peu d'argent, il aurait été lui aussi heureux de me dépanner ; mais, étant donné les circonstances un peu particulières qu'il m'a expliquées, que je connais, cette histoire d'allocation retenue, il avait pensé que je pourrais peut-être l'aider un peu, toujours à cause de cette situation exceptionnelle, sinon il n'accepterait rien. J'arrive de l'ambassade, je n'ai que des billets de cinq dinars et pas de monnaie. Ça m'ennuie. À contrecœur, je lui en donne un. Il me remercie encore, il aurait aimé avoir un peu plus, si la chose était possible, mais il est très content. En fait, il avait calculé qu'avec huit dinars il pourrait se débrouiller. Encore deux dinars, quoi, et tout serait parfait.

Son insistance me déplaît souverainement. Je trouve qu'il exagère, je le lui dis. Il ne se tient pas pour battu pour autant, il me répond que c'est très bien, qu'il comprend, il veut que je sache qu'il n'a pas pensé à l'argent avant, que pour lui je suis un ami, que l'important c'est cette amitié. Mais des amis, avait-il pensé, c'est fait pour s'entraider. Il argumente, il se lance dans de longues explications, l'argent n'est qu'une manifestation, un signe de l'amitié, il n'y a pas pensé du tout quand il m'a rencontré, ce sont seulement les circonstances qui ont fait que c'est moi qui me suis retrouvé en bonne position et pas lui, car nous attendions tous deux de l'argent — est-ce que je me souviens ? — et s'il avait touché le sien en premier il l'aurait volontiers partagé avec moi.

Il n'a peut-être pas pensé à l'argent mais il se rappelle exactement qui a payé quoi lors de chacune de nos rencontres, les sommes que je lui ai données, les livres que je lui ai laissés. Il a tout calculé et nous sommes quittes jusqu'ici, il ne me doit rien et je ne lui dois rien non plus, c'est pour cela qu'il se permet d'insister. Je lui dis que je suis déçu, que je vois bien qu'il a noté chaque dépense, qu'il n'a toujours eu que ça en tête. Il me prie de ne pas penser cela, il les notait pour pouvoir me rembourser, il m'assure de la pureté de ses sentiments. Pour lui, l'important c'est que nous demeurions amis, l'argent, il s'en fout, il peut même me rendre le billet que je lui ai donné pour me prouver sa bonne foi. Je dis d'accord. Il me tend le billet de cinq dinars ; je le reprends. Je vois passer dans ses yeux une lueur de désespoir. Il regrette déjà son geste. Je m'en veux de lui faire ça, mais quoi d'autre ? Il continue à discuter, se lance dans de nouvelles explications. J'en ai assez entendu, je me lève, je règle l'addition et je lui dis au revoir. Il me suit dans la rue, ne me lâche pas. Il insiste encore : « Je t'ai donné mon adresse, je t'ai fait confiance, je ne t'aurais pas donné mon adresse si je n'avais pas vraiment voulu être ton ami. » Je ne peux m'empêcher de penser que moi, en retour, je lui ai refilé une adresse fictive, pour être sûr qu'il ne viendrait pas me harceler jusqu'à Montréal. Alors ? Suis-je un parfait salaud ? Un parfait naïf ? Je ne sais plus. Je me hâte vers l'hôtel et il abandonne finalement la partie.

Dans ma chambre, je continue à réfléchir à tout ça. Si je lui avais laissé les cinq dinars, je sais que j'aurais eu l'impression de m'être fait avoir. Tandis que, là, je me sens un peu coupable, j'ai un peu pitié de lui. En même temps, je suis bien content de m'en être tiré de cette façon. Ça puait l'argent depuis le début. Toutes ses phrases pouvaient s'interpréter comme des préparations, des tentatives, des ouvertures dans cette direction. Il ne m'en avait pas demandé avant, c'est vrai, mais il savait que je n'en avais pas. Il attendait seulement que j'en aie.

Je viens de finir l'autre Hemingway que j'avais acheté en arrivant et que j'avais commencé hier. Je ne l'ai pas trouvé très bon, avec beaucoup de descriptions où je me suis fréquemment perdu (au nord de la colline, au sud de la forêt, à l'est de la rivière, à gauche de la piste) et un personnage principal antipathique et cynique. Mais je me rends compte maintenant que ce personnage a influencé mon comportement avec Mourad. Je n'ai pas suivi mon mouvement naturel, qui m'aurait poussé à lui laisser cet argent. J'ai joué au dur. Au fond, c'est le personnage d'Hemingway qui a repris le billet de cinq dinars des mains de Mourad. Maintenant, j'aurais envie de pouvoir le lui redonner.

◈

Puis j'y repense et je me dis que j'ai bien fait.

◈

Ce matin, comme je sors de l'hôtel, le vieux qui s'occupe de la réception me demande : « Alors, c'est réglé, vos affaires ? (J'ai payé ma chambre hier soir.) Je suis bien content pour vous. J'avais dit à Mohammed de vous prêter quelques dinars si vous étiez mal pris. » J'aimerais le croire, mais j'en doute. Quand je n'avais pas d'argent, on ne me regardait pas de la même manière. On commençait à se méfier de moi.

◈

En vidant mes poches, j'ai retrouvé l'adresse que Mourad m'a donnée hier, au restaurant, sa précieuse adresse qu'il a lui-même notée à la main, d'une écriture fort maladroite.

Ça donne ceci :

Mourad Benabdhella
University des médecins
Ras Tabir
Tunis

C'est assez sommaire et University des médecins, avec un *y*, comme sur les t-shirts des touristes américains qu'on voit partout (University of Boston, University of Pennsylvania, University of Colorado), ça me paraît bizarre. J'ai l'impression que je ne suis pas le seul à avoir été malhonnête.

En attendant le reste de mon argent, j'ai décidé de profiter de cette semaine de vacances forcées pour visiter un peu le sud du pays. Avant de partir, je bouquine une dernière fois. Je tombe sur un livre de contes d'Afrique du Nord. Je l'ouvre au hasard et je lis. C'est l'histoire de deux marchands, le marchand Mohammed et le marchand Kadir. Un jour qu'ils sont seuls dans le désert tous les deux, le marchand Mohammed dit à son collègue :

– Tu sais, Kadir, je suis ton ami. Un ami, c'est quelqu'un en qui on peut avoir totalement confiance. Alors moi, tu peux me faire totalement confiance.

– Non, dit Kadir, on ne peut jamais faire totalement confiance à quelqu'un.

— Pourtant, dit Mohammed, tu en as la preuve. Nous sommes là, tous les deux, avec nos marchandises, en plein désert, je pourrais te tuer et te voler maintenant et qui le saurait ? Personne. Il n'y a que le sable et le vent, et rien d'autre aux alentours.

— Tu oublies quelque chose, répond Kadir, tu oublies qu'Allah le saurait.

Mohammed n'est pas d'accord, ils se mettent à débattre de la question et, pour en finir, Mohammed tue Kadir en lui tranchant la tête d'un coup d'épée. Ensuite, il enterre son corps, continue son voyage, revient chez lui et, comme il l'avait prévu, personne ne vient l'inquiéter avec cette histoire.

Un an plus tard, jour pour jour, il est invité à présenter à son sultan les plus beaux fruits de sa récolte. Il apporte une grappe de raisin provenant de sa vigne en annonçant que c'est une merveille, une grappe énorme et fournie et abondante comme personne n'en a jamais vu. Il la tire du grand sac qu'il transporte avec lui, mais au moment même où il va la remettre au sultan, la grappe se transforme et c'est la tête ensanglantée de Kadir qu'il tient maintenant par les cheveux et tend au souverain.

— Holà, Kadir ! s'exclame-t-il. Quel tour tu m'as joué ! En vérité, je dois admettre que c'est toi qui avais raison. On ne peut jamais faire confiance à ses amis.

Je prends un louage, un taxi communautaire, jusqu'à Sfax, d'où part le ferry pour Kerkennah. En débarquant du ferry, je m'assois au café du port pour boire un jus d'orange et décider ce que je vais faire. Je suis là depuis à peine cinq minutes quand j'entends quelqu'un appeler mon nom. C'est Werner, en pleine forme, presque bronzé déjà. Je suis content de le retrouver. Surpris aussi, bien sûr. Finalement il a laissé tomber Djerba, trop touristique, et il s'est installé à Sidi-Fredj, à quelques kilomètres d'ici. Il a loué une petite maison au bord de la mer. Il y a de la place pour moi, si je veux.

Nous marchons deux ou trois kilomètres sur une route de terre toute droite. Le soleil est bon même s'il fait encore un peu frais. La mer n'est jamais bien loin. Le paysage est étrange, on dit dans les dépliants qu'il a un aspect polynésien. Le sol est très plat, la terre nue et brune, les palmiers clairsemés, et les quelques maisons isolées ressemblent à des huttes avec leurs toits de palme.

À Sidi-Fredj, je dépose mes affaires dans la petite maisonnette que Werner a louée. Il y a deux lits, un fauteuil, une petite table, c'est sommaire mais parfait. Nous allons marcher pieds nus sur la plage. Pour la première fois depuis longtemps, j'ai l'impression d'être en vacances, c'est curieux, moi qui pourtant ne fais jamais rien. Le soir, Werner me présente nos voisines, deux Françaises, la mère et sa fille de quinze ans, qui partagent la maisonnette d'à côté. La mère, Brigitte, a visiblement le béguin pour lui. Je soupçonne Werner d'être plus attiré par Zaza, la fille, à moins qu'il ne s'intéresse aux deux. Nous soupons tous ensemble au restaurant, une grande salle vitrée sur trois côtés, ouvrant sur une terrasse. C'est un restaurant sans apprêts. Les tables sont recouvertes de toiles cirées, décorées de fleurs en plastique dans des vases en plastique. Sur les murs, accrochés un peu n'importe comment, plusieurs portraits du président Bourguiba à différentes époques de sa vie et des cadres avec des extraits coraniques calligraphiés sur de faux parchemins. Au plafond, des banderoles de petits drapeaux tunisiens défraîchis traversent la pièce dans tous les sens. Le service est abominablement lent. Il n'y a pourtant que quelques clients, des hommes surtout, qui boivent beaucoup de vin.

Brigitte est verbomotrice. J'aime bien les verbomoteurs, ils rendent les conversations faciles, mais elle est désespérément superficielle. Elle bavarde, passe du coq à l'âne, raconte vraiment n'importe quoi. Habillée pour une destination plus touristique, avec son bermuda jaune pâle, sa veste vert pomme, ses lunettes de soleil griffées, elle jure un peu dans le décor. Sa fille Zaza est en short trop court, elle a de longues jambes minces, un visage angélique, des cheveux blond pâle, et les vieux Arabes en djellaba qui fument leur narguilé ici toute la journée la regardent d'un air désapprobateur. J'essaie de parler un peu avec elle, mais Werner l'a déjà accaparée, me laissant la mère. Visiblement, Sidi-Fredj n'est pas ce à quoi Brigitte s'attendait.

Elle aurait dû suivre sa première idée, aller à Djerba, mais tout le monde va à Djerba cette année, c'est la folie, son agent de voyages lui a proposé les îles de Kerkennah en lui disant que ce serait la prochaine destination à la mode, elle a dit oui, elle ne pensait pas que la prochaine mode serait aussi kitsch. Enfin, elle voulait se reposer, se retrouver un peu, échapper au stress, pour ça, elle est servie.

Werner lui a dit que j'étais écrivain, elle s'informe un peu de ce que j'écris et ne me laisse heureusement pas le temps de répondre, elle connaît un écrivain, elle a oublié son nom, il est très connu, je dois le connaître, il habite dans son quartier, près de la butte Montmartre, un homme charmant, pas snob du tout, elle le rencontre chez son poissonnier, boulevard Barbès. Werner intervient, il connaît ce poissonnier, boulevard Barbès, il connaît ce quartier. Brigitte est ravie, emballée. Elle adore son quartier. Ce n'est pas le 16e, d'accord, mais c'est vivant, c'est animé. Elle se lance dans une apologie de la simplicité. Le bonheur n'est pas une question d'argent, il suffit de regarder les gens ici, ils n'ont pas grand-chose, cela ne veut pas dire qu'ils sont plus malheureux que nous, peut-être même sont-ils plus heureux, en tout cas, ils vivent une vie beaucoup plus saine. Elle déplore les méfaits du progrès à l'américaine, qui contamine le monde entier, même Paris n'est plus ce qu'il était. Tout va plus vite maintenant, tout se ressemble partout. Les Américains, dit-elle, c'est l'uniformité garantie. Avec eux, tout le monde s'habille en jeans et mange des sandwichs.

Werner saisit l'occasion pour affirmer que déjà, en 1880, en France, on mangeait des sandwichs. Je viens de lui dire que j'avais lu ça dans *Germinal*. La Française est prise au dépourvu. Il en profite pour ajouter que ce que les Américains sont en train de faire partout aujourd'hui, imposer leur langue et leur mode de vie, la France l'a fait ici, au début du XXe siècle, et par la force plutôt que par la persuasion. La Française se récrie :

— Quand même, ce que la France apportait, c'était autre chose que les Américains, c'était la civilisation, c'était la culture. Nous n'étions pas des barbares.

— Et la civilisation arabe, dit Werner, elle n'existait pas, peut-être ?

Il y a un moment de silence. Zaza lève les yeux vers sa mère, étonnée qu'elle n'ait rien à répliquer, puis regarde Werner d'un air admiratif. Le prince charmant a terrassé le dragon d'un seul coup de lance.

Pour ne pas être en reste, j'interviens à mon tour, je dis que tous les peuples ont une culture, de toute façon, qu'il ne faut pas confondre culture et civilisation, que ce n'est pas la même chose. La culture, ça concerne tous les objets produits par l'homme. Tout ce qui implique une intervention de l'homme en fait partie. Tout ce qui n'est pas naturel, en somme, est culturel.

La Française rigole.

— Alors la photo, là, au-dessus du bar, c'est de la culture ?

— Oui, et aussi les nappes, les fleurs en plastique, les chaises sur lesquelles nous sommes assis, les vêtements que nous portons, ce que nous mangeons.

Elle me regarde comme si j'étais un demeuré et je vois dans ses yeux qu'elle est en train de se faire une drôle d'idée de la littérature québécoise. Werner, lui, n'a pas été long à repérer mon approche.

— Le marxisme, dit-il, est une des philosophies possibles pour l'esprit humain, mais c'est peut-être la plus ennuyante.

Je n'insiste pas.

De toute façon, les deux Françaises n'en ont que pour lui. Il faut voir le trouble dans les yeux de Zaza. Elle est sur le point de tomber amoureuse, si ce n'est déjà fait. Mais sa mère est une chasseuse aguerrie.

Aujourd'hui, le ciel est couvert et le temps s'est rafraîchi, il n'y a pas grand-chose à faire. Nous décidons, Werner et moi, d'aller à Remla, le village voisin. Il ne se passe pas grand-chose à Remla non plus. Nous croisons trois Allemands, qui viennent de débarquer. Ils décident de venir avec nous à Sidi-Fredj. Ils ne parlent que l'allemand. Werner traduit pour moi.

Il fait toujours aussi gris, la pluie nous surprend en chemin. Nous nous abritons dans une maison abandonnée. Les Allemands ont un peu de haschisch, nous fumons un joint. Ils se mettent à parler et à faire des blagues, et bientôt Werner n'essaie même plus de me traduire ce qu'ils disent. Je les regarde rire et s'amuser, c'est bizarre, je suis là et je ne suis pas là, je peux les voir, les entendre, faire circuler le joint qu'ils me tendent, rire avec eux, rien ne nous sépare et pourtant il y a une barrière entre nous. Je suis dans la même pièce qu'eux mais je ne suis pas dans le même monde qu'eux. Je suis dans le monde de ma langue. Nous sommes tous semblables, mais au-delà de cette ressemblance, chacun de nous est fait de mots et ce sont les mots qui font de nous des individus différents, des peuples différents. Ce sont les mots qui définissent notre personnalité, qui nous donnent notre identité. Ce sont les mots qui nous unissent ou qui nous séparent.

Quand nous repartons, je les laisse continuer leur marche sur la route et je prends un raccourci par la plage. De toute façon, j'ai envie d'être seul. Depuis hier, avec Werner, nous ne sommes jamais d'accord et j'ai toujours l'impression de subir un procès. Quoi que je dise, il détecte dans mes propos un esprit bourgeois, réformiste, impérialiste. Je veux bien lui donner raison, mais ça change quoi qu'il ait raison si je suis comme ça ?

Pendant quelques jours, le temps reste gris. Je passe mes journées à lire. Werner passe ses journées au café. Parfois je vais lire au café. Il n'y a pas grand monde. Werner joue aux cartes avec les deux Françaises, complètement sous son charme. Il essaie de s'introduire auprès des vieux

Arabes qui occupent le fond de la salle. Il est déjà ami avec tous les serveurs.

Un orage se prépare et le soleil, sorti quelques heures, s'apprête à disparaître derrière une masse de nuages noirs. Nous sommes assis à la terrasse du restaurant, Werner et moi. Je ne suis pas en forme. Je suis plein de mauvaises vibrations et il s'en rend bien compte, même s'il feint l'indifférence la plus totale. Il me boude. Il griffonne sur un bout de papier des dessins au style enfantin, pas très jolis. Je sais très bien ce qui se passe. C'est vrai, je suis fâché contre lui. J'envie sa facilité, son succès. Les deux Françaises sont suspendues à ses lèvres. Il s'aperçoit bien qu'elles m'ignorent totalement et il ne fait rien pour m'aider ; il leur en met plein la vue et il m'ignore lui aussi. J'ai l'impression de ne pas exister. C'était la même chose avec les Allemands.

Je me lève et je vais commander une bière à l'intérieur. Au bar, je parle avec deux Tunisiens, je finis par boire ma bière avec eux. En partant, je leur laisse mon adresse, la vraie, parce que je crains que Werner me reproche encore une fois de me tirer d'affaire avec des mensonges. Pas du tout. Il dit que j'ai été bien naïf, ces deux types sont de toute évidence de petits trafiquants et je peux m'attendre à avoir des ennuis. Je lui demande comment il sait cela.

– Je l'ai senti, dit-il, et puisque rien ne me force à penser le contraire, je décide de croire que c'est vrai.

Arrive Mansour, qui vient s'asseoir à notre table. Mansour, c'est notre serveur habituel, mais aujourd'hui il ne travaille pas, il est là en ami. Je n'ai plus d'allumettes, je lui demande s'il en a, ou s'il peut aller m'en chercher. Pendant son absence, Werner me prend à partie.

— Tu le traites comme un serviteur, tu crées un rapport de force entre toi et lui, tu le situes dans un rôle et toi, tu te mets dans le rôle du patron. Mais Mansour, c'est un être humain autant que toi.

Je sais très bien tout cela. Je serais volontiers allé chercher des allumettes moi-même; si j'ai demandé à Mansour, c'est parce qu'il connaît tout le monde ici, il est chez lui, il peut en emprunter ou aller en chercher derrière le comptoir. C'est ce que j'aurais dû répondre plutôt que:

— Toi aussi tu crées des rapports de force, je connais les gens dans ton genre.

— Ne fais pas de catégories, s'il te plaît.

— Séduire, c'est un rapport de force aussi. Tu te présentes sous ton meilleur jour, tu fais ton petit numéro et quand tu as séduit tu ne fais plus attention.

— Je vais retourner à la chambre.

Chicane de couple, voilà où ça mène, la promiscuité. Mansour est venu me porter des allumettes et il est reparti de son côté. Je reste là, avec la bouteille de vin que nous venons de commander et je me sers un verre, puis un autre. Ensuite il commence à pleuvoir et je m'installe à l'intérieur. L'alcool aiguise ma lucidité et je regarde les choses telles qu'elles sont : un restaurant moche, une plage moche, une température moche, un voyage moche, le constat est implacable. Heureusement les Françaises, mère et fille, arrivent, à la recherche de Werner, et je m'efforce de faire bonne figure. Puis Mansour vient nous rejoindre et j'essaie de le traiter comme un ami, avec l'impression que j'en mets un peu trop. Finalement l'orage est passé au loin et quand je reviens à la chambre il ne pleut déjà plus.

Je ne pense pas avoir traité Mansour comme un serviteur, je traite toujours les gens comme des êtres humains. Mon problème, au contraire, c'est que j'ai toujours l'impression qu'ils sont plus humains, plus vrais que je ne le suis. Moi, je pense trop, je réfléchis trop. Chaque fois que je rencontre quelqu'un, c'est comme si je devais affronter une réalité plus dense que la mienne, une réalité faite de chair, de muscles, de choses lourdes, d'objets solides, que tout le monde peut voir et palper, une réalité qui ne ressemble pas à la mienne, qui me fait douter de la mienne, faite avant tout de mots et d'idées. Le monde de Mansour me paraît beaucoup plus réel, plus juste que le mien. Mansour vit dans un univers plein de sens ; moi je vis dans un univers plein de questions. Je ne suis pas assez sûr de ce que je sais, je n'ai pas assez confiance dans ma propre réalité, ma foi n'est pas assez grande, je préfère faire semblant que mon univers n'existe pas. Je suis obligé de mentir sur ce que je pense pour ne pas me sentir exclu, mais je me sens exclu parce que je suis obligé de mentir. C'est pour cela que je reste à distance, que je me marginalise. Tout le reste est mensonge, tout ce que je dis, ce que je prétends, ce que j'écris est mensonge.

Je me souviens d'un ami qui avait vécu des semaines seul dans les bois, obsédé par cette question: «À quelle vitesse peut-on se mentir à soi-même?» «Plus vite que ça», c'était la réponse plutôt ambiguë qu'il avait trouvée à ce kōan.

Ce matin, en me réveillant, tout me paraît clair et je décide d'arrêter d'écrire, pour toujours.

Pourtant, je sais bien qu'il n'y a pas plus de vérité ici qu'ailleurs. Tous ces gens vivent une vie aussi illusoire que la mienne, trompés eux aussi dans leur essence même. Ils se posent peut-être moins de questions, emportés par leurs passions, contraints par leurs besoins, mais de toute évidence cela ne leur apporte pas la paix que je cherche.

Le ciel s'est complètement dégagé durant la nuit, maintenant il est d'un bleu parfait. Werner est parti reconduire au ferry les Françaises qui s'en vont aujourd'hui. Je passe quelques heures à la plage, loin du village, pour être tranquille. Je nage un peu, puis je m'étends au soleil. Bonheur ! Tous les pores de ma peau s'ouvrent et je commence peu à peu à me détendre quand un bruit étrange attire mon attention, une sorte de sifflement qui va en s'amplifiant, comme un bruit de soucoupe volante dans un film de science-fiction. Je me redresse, je tends l'oreille. Quelque chose s'approche, qui fait de plus en plus de bruit, mais que je ne réussis pas à voir. Je me lève, un peu inquiet. J'observe la rangée de palmiers qui borde la plage. J'entends les claquements secs des palmes qui s'entrechoquent et je vois le sommet des arbres qui s'agite et se plie, et je comprends tout à coup que c'est le vent, je le « vois » sortir du couvert des arbres, une tornade miniature, d'une circonférence d'à peine quelques mètres, qui s'approche sur la plage en soulevant dans les airs un tourbillon de sable, de déchets et de débris. Je voudrais me mettre à l'abri, mais impossible de savoir où va le vent, s'il vaut mieux courir vers la mer ou vers les arbres qui bordent la plage. Tout va vite, je reste figé sur place et la tornade passe juste à côté de moi, à quelques mètres à peine, avec son sifflement étrange, puis elle continue vers la mer, poursuit sa route sur l'eau sans s'arrêter, disparaît peu à peu, un tourbillon, une colonne de poussière, de sable et de débris tournoyants qui se dirige lentement vers le large.

Qu'est-ce que c'était ? Une énergie ? Une force ? Un esprit ? Un signe ?

Le début de la fin

Après le départ des Françaises, Werner a quitté Kerkennah à son tour, ses quinze jours de vacances terminés. Notre brouille n'a pas duré très longtemps et j'ai promis d'aller le voir si je passe au retour par Amsterdam – et s'il m'a donné sa véritable adresse, bien sûr. Je l'ai accompagné jusqu'à Sfax, puis je suis parti de mon côté et j'ai prolongé mon séjour dans le Sud pour ne pas me retrouver à Tunis avant que l'argent envoyé par mon père y soit arrivé.

Djerba, Matmata, Gafsa, Kairouan. J'ai rejoint le circuit touristique. Tout est plus joli, plus propre, plus cher. Il y a partout d'immenses autocars, climatisés, neufs et luisants de propreté. À Djerba, assis à la terrasse d'un café, buvant un jus d'orange hors de prix, j'ai observé leur rituel. Ils déversent leurs passagers près du centre du village, puis vont se garer dans des parkings qui leur sont réservés à l'écart. Des dizaines de photographes amateurs énervés s'éparpillent alors sur tout le territoire, par couples ou en bandes, riant, s'exclamant, s'interpellant, se dépêchant de tout voir car l'autocar repart deux heures plus tard. À l'heure dite, ils se rassemblent tous au café-restaurant-boutique qu'on leur a indiqué, où le chauffeur vient les récupérer, les arrachant à leurs derniers achats de souvenirs. Toujours riant, s'exclamant, s'interpellant, ils remontent à bord de leurs monstres roulants, bientôt remplacés par d'autres qui arrivent déjà.

À Matmata, les maisons troglodytes, creusées à même les dunes, étaient si bien intégrées au paysage qu'on ne remarquait pas leur présence. Aujourd'hui elles sont immédiatement signalées par tous ces cars stationnés à proximité et ces visiteurs qui transforment les lieux en parc d'attractions. J'aurais bien aimé être seul, découvrir ce monde extraordinaire tel qu'il était avant, mais je ne peux m'empêcher de constater que je suis moi aussi un touriste.

Partout le désert est beau, fragile, émouvant avec ses grands paysages vides et impitoyables. La planète ici montre son vrai visage. Elle n'a pas besoin de l'homme pour exister, et l'homme n'y est pas le bienvenu ; à peine peut-il s'y poser de façon provisoire, comme ces touaregs dont on aperçoit parfois les tentes qui de loin ressemblent à d'étranges oiseaux étendant leurs ailes sur leur couvée de sable. La Terre est un *no man's land*, nous n'y sommes chez nous nulle part. La Terre n'est pas hospitalière, elle est ce qu'elle est, et nous ne lui sommes pas indispensables. Mais comment allons-nous nous en apercevoir si l'homme installe partout un confort artificiel ?

Gafsa est une ville minière, sans grand attrait, qui sert surtout de plaque tournante pour les transports régionaux. J'ai voulu m'y arrêter pour voir les traces de la tentative de coup d'État. On a, paraît-il, tiré des obus sur le minaret, mais l'accès au minaret est interdit. Sinon il n'y a pas grand-chose à voir, une piscine datant de l'époque romaine, assez laide et sale, et c'est à peu près tout. Le soir, dans un café, je rencontre un dentiste du coin, Djemal, qui m'initie à la *boukha*, l'alcool fort du pays, tout en me racontant sa propre version des « événements ». Ce n'est pas du tout ce qu'on a rapporté dans les journaux, il y a eu plus de trois cents morts, le coup a failli réussir, toute la ville était hostile au régime, mais l'affaire a été mal préparée, on n'a pas prévenu la population ; et puis, de toute façon, à Gafsa, on n'aime pas tellement la Lybie, qui se cachait derrière tout ça. Les Libyens, me dit Djemal, sont différents d'eux, ce sont des musulmans très convaincus, très croyants, qui suivent les prescriptions du Coran à la lettre et ne boivent pas d'alcool. Djemal ne semble pas apprécier ce moralisme rigoureux. « Les Algériens sont plus près de nous, ce sont des Berbères, comme nous. Les Libyens viennent ici nous voler nos femmes », me confie-t-il, de plus en plus ivre. Ça me rassure de voir que les Arabes aussi peuvent ne pas s'aimer entre eux.

C'est à Kairouan que j'atteins la limite de ce que je peux supporter. À vue de nez, il y a plus de touristes que d'habitants. Tout me paraît trop propre, arrangé, faux : fontaines, chèvres, moutons, femmes voilées, fleurs, tout ressemble aux photos des dépliants touristiques et les touristes ne manquent pas de refaire les mêmes clichés, se mettant devant, au premier plan, pour bien montrer qu'ils étaient là. Je ne sais pas pourquoi, ils ont rarement l'air intelligents. J'ai tout à coup une sorte de nausée. Je n'en peux plus de les voir partout, j'en ai assez de leur argent, de leur arrogance, de leur trivialité, de la bêtise de leurs commentaires, de tout ce que leur présence vient bouleverser dans les traditions de ces gens qui les accueillent en croyant faire une bonne affaire. Au fond, voyager n'a aucun sens, à moins que ce ne soit pour faire du commerce. Le reste, c'est de la curiosité malsaine. Il est temps que je rentre chez moi.

Plus tard, dans un café, je rencontre un jeune Autrichien, un genre de hippie aux cheveux longs, aux yeux bleus, qui s'intéresse aux religions, aux drogues, aux pèlerinages et qui a l'air aussi découragé que moi. Il arrive de Tunis et s'en va vers le sud, voyageant en sens inverse. En me quittant, il me laisse en cadeau cette phrase de sainte Thérèse : « Soyez ce que vous devez être et le monde s'enflammera ! »

Plus tard encore, j'entre dans un restaurant et je tombe tout de suite sur quelques Français d'âge moyen avec qui j'ai brièvement parlé dans l'autocar. N'osant pas aller m'installer seul comme un malpoli, je les rejoins à leur table. Nous n'avons pas grand-chose à nous dire, en fait, nous nous emmerdons tous et nous le savons bien. J'ai envie de leur crier: « Soyez ce que vous devez être et le monde s'enflammera! », mais je sais bien qu'ils sont dans mon monde à moi et que c'est mon monde qui ne brûle pas; que c'est moi qui ne suis pas ce que je devrais être.

Au bout de dix jours, je suis de retour à Tunis. Gavé jusqu'à l'écœurement d'images exotiques, je suis content de retrouver la ville. Je loue une chambre dans un petit hôtel pas trop cher et le lendemain matin je me dépêche de passer à la banque. L'argent envoyé par mon père est arrivé. Il ne me reste plus qu'à revenir chez moi et je ne demande pas mieux. Ça fait bientôt cinq mois que je suis sur la route, j'ai de plus en plus hâte de rentrer. Je réserve une place sur le prochain ferry pour la Sicile, qui part demain à l'aube. Puis je suis accosté par un homme âgé, aux cheveux gris, plutôt propre et bien mis. Il me dit qu'il m'a vu à l'hôtel, qu'il y travaille, qu'il veut m'offrir une tasse de thé, en guise de bienvenue, en cadeau, quelque chose comme ça. Je ne comprends pas trop où il veut en venir. Bien sûr je me méfie, mais je ne veux pas non plus le vexer. Il a l'air d'un vieil homme honnête et respectable, et puis c'est mon dernier soir au Maghreb, je peux bien risquer quelques dinars juste pour voir ce qui se passera. Je finis par le suivre dans un café voisin où il commande un thé, un seul, qu'il me regarde boire d'un air intéressé, ne cessant de me demander s'il est bon, assez fort, assez sucré, assez chaud. Quand je lui ai confirmé dix fois que je le trouve excellent, il finit par en venir au but. En fait, j'avais mal compris ; l'heureux événement qu'il veut célébrer avec moi n'est pas mon arrivée à l'hôtel mais la naissance de sa petite-fille, la fille de sa fille. Elle a déjà deux garçons, Ali et Ahmed, et il doit l'aider à les nourrir. Il n'est pas très riche mais avec le travail à l'hôtel, ça ira. Il aimerait m'inviter à dîner, pour fêter l'événement, est-ce que je voudrais venir dîner chez lui ce soir ?

Merci, sans façon, c'est vraiment trop gentil mais j'ai déjà entendu parler de cette arnaque ; après, il sortira l'addition et elle sera salée. Au besoin il appellera les policiers en renfort, ça s'est déjà vu, et partagera les profits avec eux, du moins c'est ce qu'on raconte. Je termine mon thé et je le remercie. Il a l'air un peu déçu, mais pour me prouver son amitié, il veut maintenant m'offrir un tapis, toujours pour souligner cette naissance, un authentique tapis berbère, fait par sa femme elle-même. Je lui donnerai ce que je veux. Quelle est ma couleur préférée ? Rouge et blanc, est-ce que ça ira ? Et mon nom ? Et le numéro de ma chambre ? De plus en plus hésitant, je lui donne les informations qu'il demande. Voilà. J'aurai mon authentique tapis berbère ce soir à neuf heures. Mieux encore, si je lui avance tout de suite cinq dinars, il pourra y faire broder mon nom, ou quelque chose. Je lui dis que ce n'est pas nécessaire, que ça ira très bien comme ça. « Vous n'avez pas confiance ? » me demande-t-il d'un air consterné, en me regardant au fond des yeux. C'est un peu gênant, comme ça, face à face, de lui dire que non, justement, je n'ai pas confiance, pas du tout. Tant pis, je lui donne un billet, on verra bien. Après tout, il a payé le thé.

Maintenant il est dix heures. C'est mon dernier soir à Tunis, mon dernier soir en Tunisie, mon dernier soir au Maghreb. J'arrive d'une dernière balade en ville. J'ai marché jusqu'à l'avenue Habib-Bourguiba et je me suis promené dans les environs pendant quelques heures, retrouvant mes lieux coutumiers pour acheter le journal, des cigarettes, prendre un café. En rentrant à l'hôtel, je m'informe à la réception ; aucune trace de mon tapis berbère. À onze heures, je me couche, je dois me lever tôt. Toujours pas de tapis. Au fond, c'est tant mieux, ça fera un objet de moins dans mes bagages et j'emporterai malgré tout un dernier souvenir du pays : une authentique arnaque tunisienne.

LE FERRY ARRIVE À TRAPANI très en retard sur l'horaire prévu. Descendu parmi les derniers, je pars à la recherche d'une chambre. Dans le soir qui tombe, la ville est paisible. Les gens se promènent lentement dans les rues. Je découvre une belle église, dont la façade est tout illuminée. Tout est propre. Il y a de beaux squares, des impasses, des rues en escalier et partout de jolies *pensioni* qui sont toutes occupées, ce qui n'est pas surprenant compte tenu de la quantité d'Allemands débarqués du ferry avant moi. Heureusement la nuit est douce, au pire je dormirai dehors.

Je tourne en rond, je reviens sur mes pas, je croise un jeune Italien rencontré sur le bateau. Avec sa tête d'enfant et son manteau trop grand, pieds nus dans ses Adidas, il a l'air d'un petit Rimbaud errant sous les étoiles. Il s'appelle Aurelio. Nous nous mettons ensemble à la recherche d'une chambre. Nous marchons vers ce qui nous semble le centre de la ville. Il y a une espèce de snack-bar encore ouvert, nous entrons. Cinq ou six hommes devant un téléviseur commentent un match de foot avec force gestes et de grandes exclamations pleines de mots en *i* et en *o* qu'ils chantent et dont ils étirent et prolongent les syllabes au besoin. J'aime la langue italienne, je le dis à Aurelio. C'est du sicilien, me dit-il. Le vrai italien, le plus raffiné, c'est à Florence qu'on peut l'entendre, à Florence où même les enfants parlent une langue pure et complexe. Aurelio n'est pas Italien comme je l'avais cru, il est Suisse, mais il est très fier de sa connaissance de la langue italienne, meilleure que celle de la plupart des Italiens, dit-il.

Sur les conseils du patron du café, nous décidons de dormir à la gare. C'est une jolie gare, qui ressemble à une maisonnette, avec des palmiers et un jardin longeant les voies. Dans la salle d'attente, il y a bien une trentaine de voyageurs, jeunes pour la plupart, qui, comme nous, n'ont pas trouvé d'endroit où dormir et qui sont allongés sur les bancs ou par terre. Nous nous étendons parmi les sacs à dos. Il est à peine minuit. On entend encore les moteurs d'une locomotive et les gémissements des wagons pendant qu'on reforme les trains sur les voies.

À deux heures du matin, un jeune et gros *carabiniere* à moustache vient nous réveiller et nous aviser que nous ne pouvons pas dormir là. Personne n'en tient compte, et après quelques minutes de vagues mouvements et de brouhaha étouffé tout le monde se rendort. À quatre heures, le *carabiniere* revient avec trois collègues pour un deuxième et dernier avertissement. Après consultation, nous ramassons nos affaires et nous retournons nous promener dans la ville déserte. Il fait un peu froid maintenant, nous marchons vite pour nous réchauffer. À cinq heures trente, un premier café ouvre ses portes. Nappes, serviettes en tissu, petites tasses blanches, grandes cuillères fines, lait chaud, il est clair que nous avons changé de pays, de culture, de façon de vivre.

Trapani se transforme avec le lever du soleil et s'agrandit à mesure que nous la visitons. Les rideaux métalliques qui protègent les vitrines pendant la nuit se lèvent avec le jour et toute la ville déborde soudain d'objets colorés et joyeux, de vêtements élégants, de disques, de livres, de jouets pour enfants, de toutes sortes de belles choses dont on se met tout à coup à avoir besoin. Au Maghreb, j'avais oublié que tout cela existait, cette diversité, cette multiplicité, cette fantaisie, cette futilité, ce gaspillage. C'est ici qu'elle se trouve, je m'en rends compte tout à coup, la vraie caverne d'Ali Baba.

Nous réservons une chambre dans un hôtel où nous laissons nos bagages puis, comme le soleil éclatant nous a enlevé l'envie de dormir, nous continuons notre promenade. Il y a des affiches partout, théâtre, cinéma, spectacles, concerts, cirques, films pornos ; partout des filles nues, à moitié nues, souriantes, invitantes. Depuis trois mois, je me suis habitué à ne voir que des femmes en djellaba, des gens habillés de la tête aux pieds. Même les statues dans les parcs me paraissent terriblement sensuelles, leur corps voluptueux exposé dans ses trois dimensions, permettant d'en faire le tour, d'observer sous tous ses angles une main de pierre s'enfonçant doucement dans la chair tendre d'un sein de pierre, une jambe de pierre musclée écartant une douce cuisse de pierre.

Aurelio a vingt ans, il a quitté la maison de ses parents il y a six mois, sans les prévenir. Maintenant il est content de rentrer chez lui, il est très attaché à eux. Son départ les a bouleversés, ils ne comprenaient pas, mais depuis il leur a parlé au téléphone et tout est arrangé. Je me rends compte que je suis plus vieux que lui, que je possède déjà cette liberté qu'il vient de conquérir, que ce n'est pas pour quitter la maison ou la famille que je suis parti en voyage, que je suis parti pour me libérer d'un autre joug, me défaire de ce qu'on avait fait de moi, pour me déprendre de moi-même.

Le midi, nous allons manger dans une *trattoria*, les tables sont bien mises, il y a des nappes blanches et de vraies fleurs. Nous buvons du vin rouge, je deviens euphorique.

Je suis heureux d'être de retour en Europe. Tout est harmonieux, à chaque instant la vie est pleine de douceur et de raffinement, j'ai presque envie de pleurer quand on m'apporte mon *risotto pescatera*. Après avoir mangé, nous allons nous étendre dans un parc et nous dormons un peu. Nous sommes réveillés plus tard par la voix d'un homme qui fait des vocalises à sa fenêtre. Des couples d'amoureux passent, se tenant par la taille, cette chose si simple qu'on ne voit jamais au Maghreb. Et les rires des filles dans la rue. J'ai l'impression d'avoir laissé derrière moi un univers de vacarme, de bruits, de cris, de querelles.

Aurelio n'est pas d'accord. Lui, il a adoré son séjour là-bas. Il a rencontré des gens sympathiques, il a vécu avec eux des moments extraordinaires, comme il est certain de ne plus jamais en revivre, dans le désert, la nuit, sous les étoiles, autour d'un feu, dans le silence absolu. Pendant presque un mois il a vécu comme un Marocain, dans un village marocain, la vraie vie marocaine (si tant est que la vraie vie marocaine consiste à rouler des boulettes de haschisch dans un bled perdu de l'Atlas). « Tu as traîné ton pays avec toi, dit-il ; pas moi. Tu es convaincu que ton mode de vie est meilleur que le leur, pas moi. Je ne veux pas que le Maghreb soit comme l'Europe, je le trouve très bien comme ça. »

Je ne sais plus trop quoi dire. Aurelio a peut-être raison. C'est vrai, malgré moi je pense que l'avenir est du côté de l'Occident, de la technologie et du confort, de la démocratie et des droits de l'homme, et que rien ne peut empêcher ce mouvement. Comme un missionnaire sûr de sa religion, je n'imagine pas qu'on puisse préférer un autre mode de vie à celui-là. De toute évidence, notre conception du monde représente l'avenir de la civilisation mondiale. Il faudra bien que les autres le comprennent.

Et si nous avions tort ? Si le confort et le plaisir n'étaient pas le but de l'existence ? Si la démocratie menait au chaos et les droits de l'homme à un individualisme sans bornes ? Si la consommation avalait toutes les autres valeurs, les valeurs collectives, l'entraide, la solidarité ?

Castellamare

Hier, nous n'avions pas pris le temps de nous enregistrer en déposant nos bagages à l'hôtel et ce matin, comme il n'y a personne à la réception, nous repartons sans remplir les fiches d'identité. Aurelio est tout joyeux. Il a l'impression de brouiller les pistes. Il n'aime pas le système, les contrôles, Big Brother. Il préfère les Brigades rouges. Lui aussi se proclame anarchiste. Décidément, il y en a beaucoup sur la route. Mais qu'est-ce qu'un anarchiste ? Après un moment de réflexion, Aurelio me répond qu'un anarchiste, c'est quelqu'un qui vit dans la vraie vie, la *cosa reale*, la *cosa vera*. Quelqu'un qui vit pour vivre.

De Trapani, nous faisons du stop jusqu'à Castellamare. Nous arrivons au moment où le soleil se couche, laissant derrière lui de grands pans de montagnes mauves et bleus, et un peu de couleur sur les façades des maisons. Ici aussi il y a partout des publicités sexy et des affiches de films avec des actrices dénudées. Dans les boutiques, qui ouvrent tard, on trouve de tout. J'achète du savon et du shampoing avec l'impression de m'offrir un grand luxe. La noirceur gagne peu à peu les rues du village, mais sur le *corso* bien éclairé il y a beaucoup de monde, hommes et femmes également élégants, qui ne font que se promener, aller et venir, se saluer, se croiser. Devant une galerie d'art, un petit groupe discute, c'est soir de vernissage. Aurelio a envie d'entrer jeter un coup d'œil, nous en profitons pour prendre un verre de vin et quelques hors-d'œuvre au passage. Je n'aime pas beaucoup les toiles, du sous-impressionnisme, un peintre sans grand talent à mon avis. Je dis à Aurelio que c'est triste, tant de travail et tant d'espoir pour tant d'illusions.

— Tu ne te fais pas d'illusions, toi, peut-être ? dit Aurelio.

La chambre d'hôtel n'est pas très agréable, toute en longueur comme un wagon de train, avec un lit à chaque bout. Nous sortons *nous faire un vin*, comme dit Aurelio. Nous entrons dans le bar le plus près, qui ressemble à un bordel de cinéma, surchargé de bibelots, de rideaux de velours, de lampes dorées, de gravures, de meubles sombres, d'abat-jour tamisant partout la lumière, et tout cela pour rien, nous sommes les seuls clients. Nous commandons une bouteille de vin, Aurelio discute avec le barman. Je ne comprends pas ce qu'ils disent, mais le barman semble séduit. Un éclair de malice dans les yeux, il nous confie un moment la responsabilité du bar pendant qu'il va nous chercher une surprise.

Pendant son absence, Aurelio me dit qu'il aime bien les homosexuels. Il a couché quelques fois avec des hommes. « L'homosexualité, dit-il, ce n'est pas un problème sexuel. La sexualité des homosexuels fonctionne très bien ; le problème, c'est de l'accepter et de la faire accepter. » Un homosexuel doit s'affirmer, sans égard pour les conséquences. C'est pourquoi il trouve que les homosexuels ont généralement quelque chose à dire, car ils n'ont pas le choix de penser différemment des autres.

— Désolé, je ne suis pas homosexuel, dis-je.

— Ça ne veut rien dire, dit Aurelio.

Le barman revient avec une bouteille de vin noir, un vin de pays, qu'il fait lui-même, dont il nous fait cadeau. Nous revenons à la chambre, passablement ivres, avec notre bouteille entamée. Nous buvons un dernier verre assis chacun sur notre lit, puis je me déshabille et je me glisse entre les draps aux motifs floraux orange et rose. C'est assez laid mais je me rends compte que c'est la première fois que je dors dans des draps imprimés depuis trois mois. Puis, surmontant ma crainte d'un refus, je prends mon courage à deux mains et je demande à Aurelio s'il veut venir avec moi. « Où ? » demande-t-il. « Ici », dis-je, montrant la place à côté de moi. « Non », dit-il simplement. Sa réponse me blesse, même si je m'y étais préparé, mais je me permets d'insister et je lui demande pourquoi. « Tu m'excuseras, dit Aurelio, mais je ne fais l'amour qu'avec des gens qui me plaisent vraiment. » Ensuite, nous demeurons longtemps en silence. Aurelio lit. Il me demande si je veux qu'il éteigne la lumière, si je veux qu'il me rende le livre d'Hemingway que je lui ai prêté. Plus tard, pensant que je dors, il se relève pour écrire quelque chose.

J'ai oublié mes rêves de cette nuit, mais je me réveille dans cette chambre triste avec l'impression de n'être bon à rien et d'écrire seulement parce que je ne sais pas plaire, parce que je ne sais pas vivre, parce que je ne connais pas la *cosa reale*, la *cosa vera*. Je m'habille et je sors avant qu'Aurelio ne s'éveille. Il fait une belle chaleur de juillet. Je traverse la place du village : quelques platanes, des fleurs, une fontaine publique où coule une eau claire et froide. Un enterrement passe lentement sur le corso. Le cortège est ouvert par des hommes et des femmes habillés de noir, portant des fleurs dans leurs bras, puis vient le prêtre en soutane et les enfants de chœur avec leurs surplis blancs, ensuite le corbillard tiré par des chevaux et derrière, à pied, toute la famille qui suit. J'ai presque envie de me joindre à eux...

Je fais une longue marche, seul, malheureux, je me trouve laid et mal habillé. Il fait un temps magnifique, un beau soleil matinal, encore frais, et il règne partout une paix silencieuse et palpable, une paix dominicale, une paix catholique. Quittant le village, j'emprunte une large route qui monte en serpentant à travers un paysage plein de fleurs. En contrebas, les champs labourés de sillons symétriques ont l'air de petits tableaux, tout le paysage comme une œuvre d'art minutieusement travaillée.

Palerme

Je reviens à la chambre. Aurelio est réveillé et prêt à partir. Nous faisons du stop jusqu'à Palerme. Palerme est une grande ville. Ce n'est plus du tout le même rythme, je m'en aperçois en allant changer un chèque de voyage à la banque. Au comptoir, un employé surexcité me répond, téléphone sur l'épaule, remplissant un formulaire, discutant avec un collègue, s'impatientant parce que je ne comprends rien à ce qu'il me raconte. Heureusement Aurelio est là pour mettre un peu d'ordre dans la transaction. Nous dînons dans une petite *trattoria*, puis nous marchons dans les rues. Je demande à Aurelio d'excuser ma conduite d'hier, j'avais bu, je savais que ce n'était pas une bonne idée, mais il m'arrive souvent, quand j'ai bu, de faire des choses en sachant que je ne devrais pas les faire. Je lui dis qu'un jour sans doute je deviendrai vieux et sage mais que je ne suis pas rendu là, que les jeunes sages ne courent pas les rues, qu'il faut y mettre le temps et quelques erreurs de parcours. Aurelio me dit de ne pas m'en faire, il comprend, lui aussi est parfois excessif, partir de chez lui comme il l'a fait n'était pas très sage non plus, il n'avait pas pensé à l'inquiétude de ses parents, « mais tout cela tu le sais déjà », dit-il, et j'ai l'impression que nous nous connaissons depuis longtemps. Nous arrivons au terminus. C'est ici que nous nous séparons. Aurelio prend le car de quinze heures pour Cefalù, moi celui de quinze heures trente pour Catania. Au moment de monter à bord, il me prend dans ses bras et m'embrasse sur les deux joues.

Catania

Trois heures plus tard j'arrive à Catania, après avoir traversé la Sicile d'ouest en est sur des autoroutes qui percent les montagnes, enjambent les rivières et survolent les précipices, pensant aux ruines superbes qu'elles feront un jour pour un jeune visiteur comme moi qui viendra les découvrir en se demandant quel est le sens de sa vie.

Le temps est gris, le ciel est bas ; en arrivant, je n'ai pas vu l'Etna, mais durant une éclaircie je découvre tout à coup sa masse énorme et menaçante qui domine la ville. J'ai bien envie de monter au sommet, mais à l'office du tourisme on me dit que le volcan est en activité et que le service de téléférique a été provisoirement interrompu. Il reste un autocar qui se rend le matin jusqu'au refuge de Sapienza et revient en fin d'après-midi. C'est le point le plus élevé qu'on puisse atteindre par la route. Quant aux trains pour Paris, pas de problème : il y a des départs tous les jours, avec correspondance à Rome, et un billet coûte moins de cent dollars. Tout cela me convient parfaitement. Très content, je réserve une place dans le car pour monter voir le volcan demain, je trouve un hôtel près de la gare et j'y dépose mon sac.

Nous ne sommes que quelques touristes dans le petit véhicule qui monte à Sapienza et je m'assois seul sur une banquette. Nous commençons presque tout de suite à grimper sur le flanc du volcan, laissant derrière nous Catania et la mer d'un gris laiteux sous un ciel maussade. Sur la banquette voisine, un couple d'Italiens dans la quarantaine. Je parle un peu avec eux, ils parlent assez bien français, elle surtout. Ils ont l'air très amoureux, ils rient beaucoup. Elle a un joli grain de beauté dans le cou.

La route monte toujours et le paysage se couvre de brouillard, par moments on dirait l'automne québécois, des champs de paille mouillée, des fermes isolées, des arbres dénudés. Puis apparaissent les premières coulées de lave, grandes langues informes de matière noire à la surface grisâtre, sorte de bave minérale. C'est une vraie scène de désastre dans la brume, comme si un fleuve de goudron avait descendu la pente, recouvrant les champs, se heurtant ici et là à des obstacles, contournant un rocher, un mur de pierre, puis venant s'échouer, à bout d'énergie, dans ce qui ressemble à des vagues coagulées.

Nous arrivons au refuge. Je suis déçu, le temps est couvert, on ne voit pas grand-chose. Il fait froid comme en hiver, des plaques de neige et de glace recouvrent le sol, les nuages filent à toute vitesse. Les Italiens s'amusent à se lancer quelques balles de neige, puis nous allons marcher aux alentours, grimpant le flanc d'un petit cratère, une colline conique, dévastée et noirâtre. Au centre, une cheminée pas très creuse, bien éteinte. J'ai les pieds gelés. Le vent est si fort qu'il jette l'Italienne par terre. Nous revenons au refuge avec de la cendre volcanique dans les cheveux. Dehors tout a disparu dans la brume, la lumière baisse, on se croirait à quatre heures de l'après-midi, chez nous, l'hiver.

Tous les visiteurs sont à l'intérieur, attablés ou assis dans des fauteuils. Il n'y a rien à faire à part lire le journal, jouer aux cartes et regarder la télévision. Nous pourrions aussi bien repartir tout de suite, ça arrangerait tout le monde, mais il y a un horaire à respecter. Le chauffeur part à huit heures le matin et redescend à seize heures. Il ne nous reste plus qu'à attendre.

L'hiver. Quand je suis parti en novembre, déjà je le sentais venir. Les jours raccourcissaient, les feuilles mortes pourrissaient en paquets humides sur le sol, la lumière nous abandonnait. Froid et obscurité, juste le contraire de ce que je cherchais. Un ciel bas, des nuages lourds et les grands squelettes abandonnés des arbres partis vivre sous terre, dans leurs racines, comme les ours dans leur tanière. Chaque année nous devons apprendre à mourir et chaque année nous devons apprendre à ne pas mourir, et si nous ne voulons pas mourir, nous n'avons pas le choix, il faut lutter, se barricader, s'encabaner, user de mille ruses et soûleries pour vaincre le désespoir et la noirceur. Moi, j'en avais assez de me battre contre le vent, assez de m'emmitoufler jusqu'aux yeux pour sortir boire un verre, assez de rester chez moi par moins vingt degrés à regarder par la fenêtre tournoyer la poudrerie. J'en avais assez de résister, c'est pour cela aussi que j'étais parti.

L'Italienne me tire de mes rêveries. « C'est bien, le Canada ? » demande-t-elle. Je ne sais pas trop quoi répondre. D'abord, le Canada, c'est grand, et moi je suis Québécois. Elle a entendu parler du Québec, des séparatistes, des bombes et du référendum. Elle ne comprend pas l'intérêt de se séparer. Je lui dis que c'est plutôt là un désir de s'unir, de se rassembler, de se reconnaître dans une nation. L'Italienne est contre les nationalismes, c'est un concept dépassé, un sentiment primitif et tribal. L'avenir de l'humanité passe par l'unité de tous les hommes, par l'internationalisme. Je n'insiste pas, c'est toujours plus facile d'être contre les nationalismes quand sa propre nationalité ne fait de doute pour personne. J'évite la controverse, je change de sujet. Je parle vastes espaces, fleuve majestueux, castors en abondance, palette automnale, eau cristalline. Est-ce tout cela qui l'attire ?

— Oh, ça ne m'attire pas, dit-elle. Je me demandais, simplement... J'ai toujours pensé que c'était un pays où il n'y avait pas beaucoup de culture...

Touché. Vu d'ici, où les œuvres d'art sont partout, où les villages entiers sont des œuvres d'art, mon propre pays m'apparaît assez peu attirant. Notre spécialité, la seule chose dont nous trouvons habituellement à nous vanter, ce sont les espaces sauvages, toute la partie du territoire que nous n'habitons pas, que nous n'avons pas encore gâchée, que nous finirons bien par gâcher un jour comme nous avons gâché celle que nous habitons.

Tout à coup, j'ai moins envie de rentrer.

Rome

À seize heures, l'autocar redescend à Catania. Je récupère mon bagage que j'avais laissé à la consigne et, n'ayant pas envie de me remettre à chercher un hôtel, je décide de dormir dans le train de nuit pour Rome. Le train est bondé, bruyant, plein de jeunes qui s'en vont passer des examens de je ne sais quoi dans la capitale, et je me retrouve assis en face d'un étudiant en philosophie avec qui je discute une partie de la nuit de politique, de psychologie, de révolution, d'astrologie et de mysticisme, dans un mélange d'italien et de français qui m'amuse beaucoup. Massimo a dix-huit ans. Je suis étonné par son sérieux, par ses connaissances. Du Québec, pourtant, il ignore tout. Je constate que nous sommes un bien petit pays dans le vaste univers, un pays folklorique et sans importance, où se jouent les mêmes drames que chez les grands mais à une échelle réduite, avec des comédiens amateurs, devant un public peu exigeant. Le recul me rend critique, je déplore le bas niveau de conscience politique, le manque de rigueur dans les débats, la démagogie si efficace avec un peuple aussi bon enfant.

– Tu n'aimes pas beaucoup ton pays ? demande Massimo.

Non, ce n'est pas ça. Comment ne pas aimer son pays ? Ce serait ne pas s'aimer soi-même. Je ne suis qu'une des facettes de notre âme collective. Je n'échapperai jamais à tout ce qui me constitue fondamentalement : ma langue, ma culture, ma famille. J'aurais beau le renier, ce serait encore à partir de ce que je suis, de l'intérieur de cette âme collective, à travers cette langue, à cause de ce que j'avais été et que je ne voudrais plus être, que je me renierais. C'est vrai, je ne suis pas toujours fier de ce que nous sommes, il nous manque quelques siècles de polissage, de raffinement, quelques siècles d'instruction, d'éducation, d'urbanité ; vu d'Italie, le Québec paraît laid, froid et inculte, et pourtant je crois profondément à ce que nous pouvons devenir. J'ai hâte de rentrer à la maison, hâte au référendum qui viendra changer tout ça, qui viendra donner une forme à notre existence, à nos rêves.

◈

Au matin, je débarque à Rome sous une petite pluie grise. En sortant de la gare, je croise un jeune touriste à qui je demande s'il peut m'indiquer une *pensione* abordable. Il ne comprend pas. Je remarque sur son sac à dos notre feuille d'érable nationale et bilingue. *Canadian, eh ?* Il vient de la Saskatchewan. Il a un gros visage un peu poupin, de petits yeux bleus et joyeux. Je vois son regard s'assombrir quand je lui dis que je suis Québécois. Il me demande si je serai de retour à Montréal pour le référendum. Toute cette histoire le bouleverse. Il ne comprend pas pourquoi nous voulons détruire le Canada. J'essaie de lui expliquer notre différence, notre spécificité culturelle, notre besoin de nous sentir chez nous. Il n'est pas d'accord. Il est déjà venu au Québec, en 1976, pour les Jeux olympiques, et il n'a pas vu cette différence. Montréal, à part la langue, c'est tout à fait comme Regina, Winnipeg ou Toronto, qu'il a visitées en chemin ; nous sommes tous semblables, nos façons de vivre se ressemblent, nous formons une seule nation. Plus il voyage en Europe, moins il comprend le séparatisme — par exemple les Irlandais, il ne comprend pas ce que cherchent ces gens. Moi, c'est exactement le contraire. Plus je voyage, plus je comprends ce besoin de se sentir chez soi, de décider pour soi, qu'on soit Irlandais, Basque, Sahraoui, Kabyle ou Québécois. Comment lui faire comprendre ? Pourtant, je suis sûr que lui aussi ressent exactement la même chose. C'est une question de sensibilité, au fond. Comment lui faire comprendre que le Québec, ce n'est pas chez lui, même s'il s'y sent chez lui ? Et comment croire que le Canada soit mon pays, si je ne m'y sens chez moi nulle part ?

J'ai dormi longtemps. Dans ma chambre, sur le mur, un petit crucifix veillait sur moi. En sortant, je l'examine de plus près. Le Christ n'a plus de pieds, quelqu'un les a brisés, arrachés, emportés. J'interprète ce signe inattendu à ma manière, je me dis que mon chemin de croix touche à sa fin. Je me rends jusqu'à la gare, la température est toujours aussi douce et caressante, la ville est belle mais on dirait que je ne vois plus rien, que je n'assimile plus rien. Il est temps de rentrer, avant de ne plus pouvoir marcher.

Pise, Gênes, Turin, les villes défilent maintenant l'une après l'autre sans que je songe à m'y arrêter. Mon voyage est fini. Je lis ou je regarde par la fenêtre. J'ai repris *Sur la route*, que je n'ai pas voulu vendre, je repense à tout le chemin parcouru, à tous ces détours inutiles, tous ces arrêts, ces retards, tout ce temps passé à attendre. Ridicule, oui.

Je dors un peu, je ne sors de ma torpeur qu'au moment où nous traversons les premières banlieues parisiennes et leurs horribles HLM, je n'en avais jamais vu autant, tous ces blocs de béton, partout, toute cette humanité parquée à l'ombre de la Ville Lumière comme des animaux, de la chair à canon, à usine, à bureau, à misère, et je n'en reviens pas, ce n'est pas une vie, c'est clair, c'est là, manifeste, évident, ce n'est pas humain; notre monde n'est plus humain.

◈

Le temps est gris et froid à Paris, c'est dimanche, tout est désert, et je me dis que ce serait une belle journée pour rester au lit bien au chaud avec une fille. Je finis par m'installer à l'hôtel du Club Unesco, c'est le moins cher que j'ai pu trouver. La chambre me déprime et je sors. Je marche longtemps, au hasard, m'arrêtant ici et là pour regarder les vitrines, admirant tout ce que je ne pourrai jamais me payer, imaginant une vie qui ne sera jamais la mienne. Au retour, je note mes impressions, je suis extrêmement déçu de voir que je n'ai rien d'original à dire.

Le soir, je vais prendre une bière. Boulevard Saint-Germain, je m'assois à la terrasse des Deux Magots et j'en profite pour tirer le livre de Kerouac de ma poche : « Qu'allons-nous faire de nos vies, Dean ? — Oh, je ne sais pas, Sal, simplement les observer, je crois. »

Magic Bus

Le lendemain il pleut encore et je passe l'après-midi au cinéma en attendant de prendre le Magic Bus pour Londres. Le film, inspiré de la vie de Gurdjieff, a été tourné en grande partie dans le désert égyptien et cet exotisme ne me fait plus d'effet. Une seule scène m'intéresse vraiment, où l'on voit un moine dire à son visiteur des choses qu'il ne peut pas savoir à son sujet. Je me rends compte que c'est ça que j'attendais de ce voyage : un miracle.

Je soupe rapidement dans un petit bistro, puis je prends le Magic Bus, un autocar bien ordinaire qui n'a rien de magique sauf le prix du billet. Je suis assis à côté d'un Néo-Zélandais plutôt sympathique qui profite d'une année sabbatique pour faire le tour du monde comme tout bon Néo-Zélandais. Son accent me déconcerte. Je dors un peu. Nous faisons un arrêt quelque part dans la nuit, le temps de descendre nous dégourdir les jambes. Le Néo-Zélandais me présente une des passagères, Julietta, qu'il a rencontrée en attendant le car à Paris. Charmante.

Nous repartons, je dors encore un peu. Parvenu au ferry, il faut descendre à nouveau pour remplir les formalités de la douane. Il est trois heures du matin. Avec Julietta nous mangeons ce qu'il y a à manger, un déjeuner anglais avec des œufs et des saucisses que nous faisons suivre d'un cognac. Nous parlons un peu. Julietta a un petit air garçon, un sourire espiègle, des taches de rousseur adorables et j'aime beaucoup ses yeux. Elle a des mains de musicienne, aux doigts très longs, je le lui dis et j'en profite pour les caresser.

Quand nous remontons à bord de l'autocar, nous nous assoyons ensemble. Julietta a deux nationalités : elle est Anglaise par son père et Américaine par sa mère. Elle habite à Washington, mais elle voyage beaucoup entre les deux continents. Son père est diplomate, il est rarement à la maison. Je comprends vite qu'elle vit dans un autre univers que le mien, mais elle n'a pas l'air tellement plus heureuse que moi. Elle me parle de sa cabane, son *shack*, où elle se retire quand elle est trop malheureuse, quand elle se pose trop de questions et qu'elle se trouve trop laide et stupide pour voir des gens. J'ai peine à imaginer qu'elle ne soit pas heureuse, qu'elle puisse se trouver laide ou stupide. Je le lui dis. Tout ça ne donne pas un sens à sa vie, dit-elle. Elle ne se sent pas à sa place, elle n'a personne à qui en parler. Les amis de son âge ne pensent qu'à s'amuser, à préparer leur carrière, ils ne parlent que d'argent. Elle pense qu'il doit y avoir plus que cela dans la vie. Elle se pose des questions. Je lui dis qu'elle est bien tombée, je possède tout un assortiment de réponses. Elle rit. Elle trouve que je la comprends, que c'est rare, que j'ai su rester jeune malgré mon grand âge (elle a vingt-deux ans). Elle apprécie que je prenne le temps de l'écouter. Ce n'est pas difficile, je suis déjà amoureux d'elle. J'aime ses yeux, sa bouche, j'aime ce qu'elle dit. Je suis séduit. C'est simple, je veux coucher avec elle.

Un vrai écrivain

Julietta m'accompagne jusqu'à Victoria Station. La nuit dans l'autocar a créé un lien entre nous, la nuit et le voyage et ces moments étranges qu'on ne vit pas au quotidien, ces confidences, cet abandon, cette intimité, ces souvenirs que seulement nous deux maintenant partageons. Je lui propose que nous restions un peu ensemble. Elle n'est pas pressée. Elle est venue voir sa tante à Londres, elle l'appellera tout à l'heure. Nous laissons nos bagages à la consigne. Les rues sont tranquilles, nous ne sommes pas très loin de l'agence de publicité où Jim travaille, j'ai envie de passer y faire un tour. C'est dimanche, mais dans ce métier, on ne sait jamais. Je parle de Jim à Julietta, de son appartement près de Crystal Palace où il m'a hébergé quelque temps, à Noël, du Gypsy Queen où j'allais boire de grandes *pints* de Guinness. Je lui parle aussi de Bella qui ne rêvait que de retourner en Inde et qui aurait sûrement eu des réponses à ses questions. Passant devant une épicerie, je ne résiste pas à l'envie d'acheter un dix onces de Southern Comfort, en souvenir de tous ceux que nous avons bus, Jim et moi. Quand nous arrivons à l'agence, il n'y a personne ; je m'en doutais, je l'appellerai chez lui plus tard.

Nous continuons notre promenade et nous aboutissons dans un parc romantique, avec des cerisiers en fleur, des saules pleureurs, des canards, un petit pont. Nous n'avons pas beaucoup dormi dans l'autocar et nous sommes tous les deux fatigués, dans un état second. Nous nous étendons sur le gazon près d'un étang, nous buvons du Southern au goulot à la santé de Jim. Nous nous embrassons, nous nous caressons, en silence, les yeux dans les yeux, et je bande pendant qu'elle se serre contre moi puis, un peu ivres, épuisés, nous nous endormons dans les bras l'un de l'autre.

Quand nous nous réveillons, nous avons faim et nous allons manger un *fish'n'chips*. Ensuite je dois penser à louer une chambre pour la nuit. Je lui propose de venir avec moi. Elle hésite, elle n'est pas certaine de ce qu'elle veut. Nous passons tour à tour d'une langue à l'autre, revenant à celle que nous maîtrisons le mieux quand les mots nous manquent, et c'est curieux de voir comment notre personnalité change en même temps. Je le lui fais remarquer.

— Quand tu parles anglais, tu es trop bien élevée, lui dis-je. En français, tu es beaucoup plus audacieuse.

— Et toi, en anglais, tu joues le séducteur, et en français tu te fiches de ma gueule, dit-elle.

Je lui dis qu'elle me plaît, que je ne veux pas la séduire, simplement être bien avec elle. En français, j'ajoute que je peux lui parler d'amour, lui raconter plein de beaux mensonges, si c'est ce qu'elle préfère. Ça lui fait plutôt peur. Elle se méfie des beaux parleurs et de ces rencontres sans lendemain qui laissent un goût amer. Je ne suis pas d'accord avec le goût amer. Nous débattons du sujet avec des exemples tirés de la littérature et du cinéma. C'est mal parti. Nous sommes déjà à discuter de ce qui arrivera après pour déterminer s'il y aura un avant. Je lui dis qu'on ne peut pas savoir l'avenir, qu'on ne peut pas prévoir les conséquences de nos actes. Il faut faire ce que nous commande notre désir maintenant, ce qui nous paraît juste et bon maintenant, c'est tout. J'ai l'impression d'entendre Werner.

◈

Julietta s'arrête dans une belle cabine téléphonique rouge pour passer un coup de fil à sa tante ; si sa tante n'est pas là, elle viendra à l'hôtel avec moi. Je prie de toutes mes forces pour que sa tante soit partie, puis par la vitre de la cabine je vois Julietta s'animer, sourire, devenir différente, insensiblement, redevenir la nièce de sa tante, la jeune fille de bonne famille, celle qu'elle était, qu'elle a oubliée quelques minutes avec un étranger dans un parc.

Elle raccroche. Sa tante l'attend, elle lui a dit qu'elle arrivait bientôt. Je suis malheureux. Elle me prend dans ses bras.

— Tu es un vrai écrivain, dit-elle. Tu es sensible, tu écoutes, tu comprends.

Je ne veux pas être un vrai écrivain, je veux coucher avec elle. Comment la convaincre ? J'aurais tellement aimé terminer mon voyage comme je l'avais commencé, par une histoire d'amour, aussi brève soit-elle. Tout à coup une grande tristesse s'abat sur moi.

— Tu vois bien, lui dis-je, qu'on ne peut rien prévoir. Quand je t'ai rencontrée, cette nuit, sur le ferry, je ne pouvais pas savoir qu'un jour tu serais un de mes plus mauvais souvenirs.

Elle rit.

— Ne bois pas trop, dit-elle en m'embrassant.

◈

Julietta est partie. Je devrais téléphoner à Jim, lui dire bonjour au moins ; je ne le fais pas, je ne sais pas pourquoi. Je suis triste, déprimé. Je n'ai pas envie de raconter mon voyage. Je marche sur King's Road. Il y a du soleil et des tulipes. Je vais jusqu'à Piccadilly Circus. Je trouve dans un hôtel une chambre grande comme un placard et, pour me changer les idées, je vais voir un film intitulé *Desperate Life*. Demain je serai chez moi.

Table

ACHEVÉ D'IMPRIMER EN MAI 2011
SUR LES PRESSES DE L'IMPRIMERIE GAUVIN